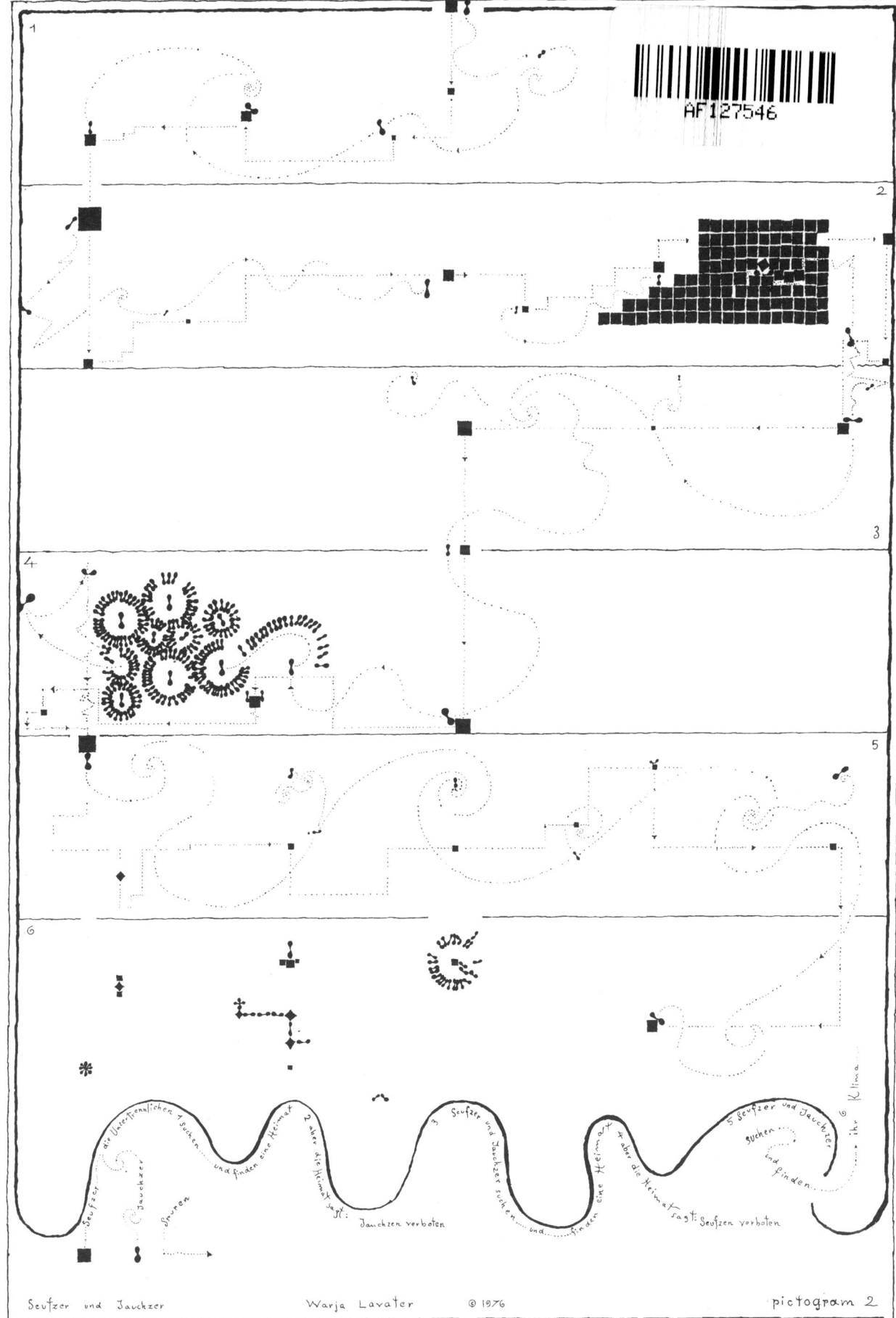

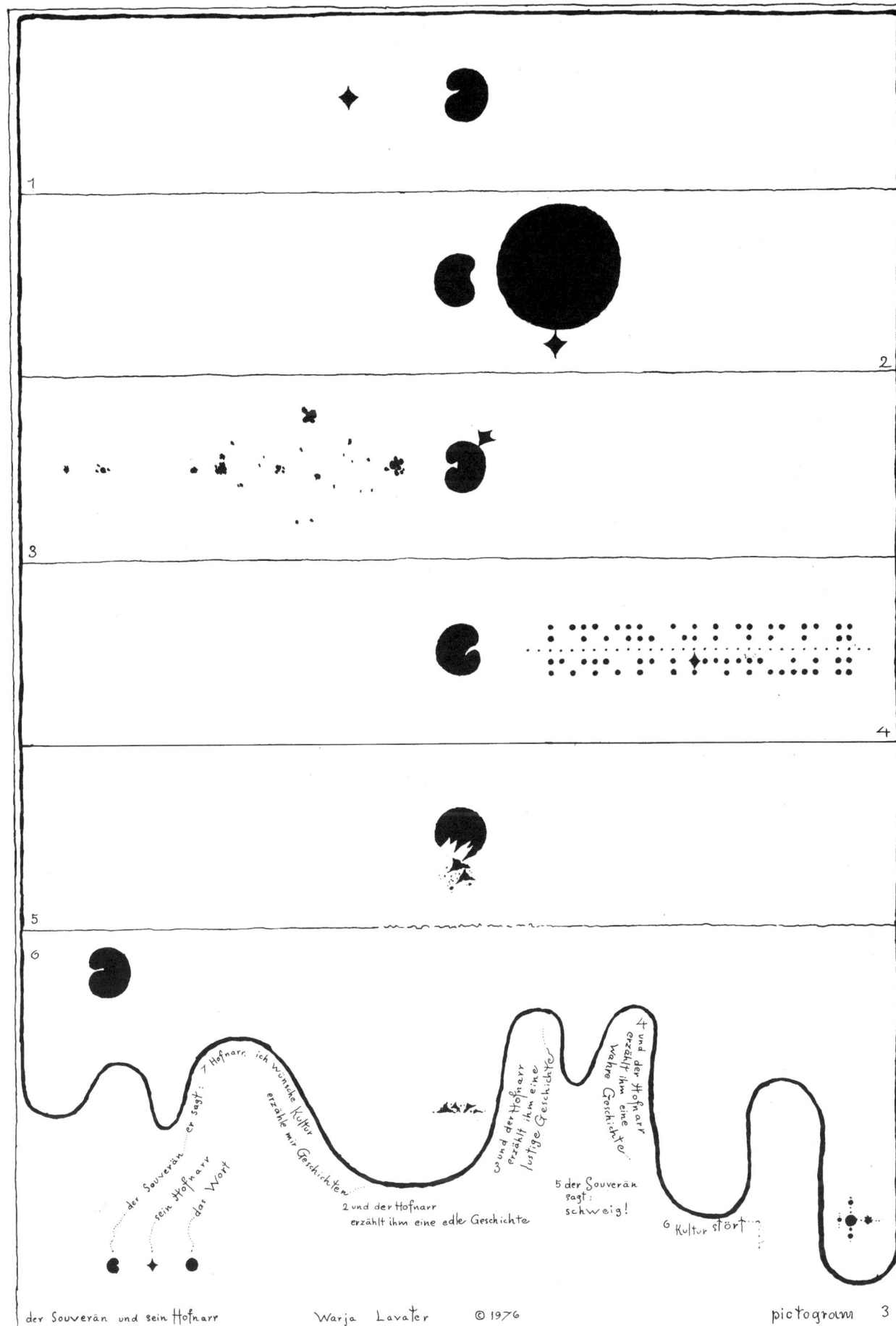

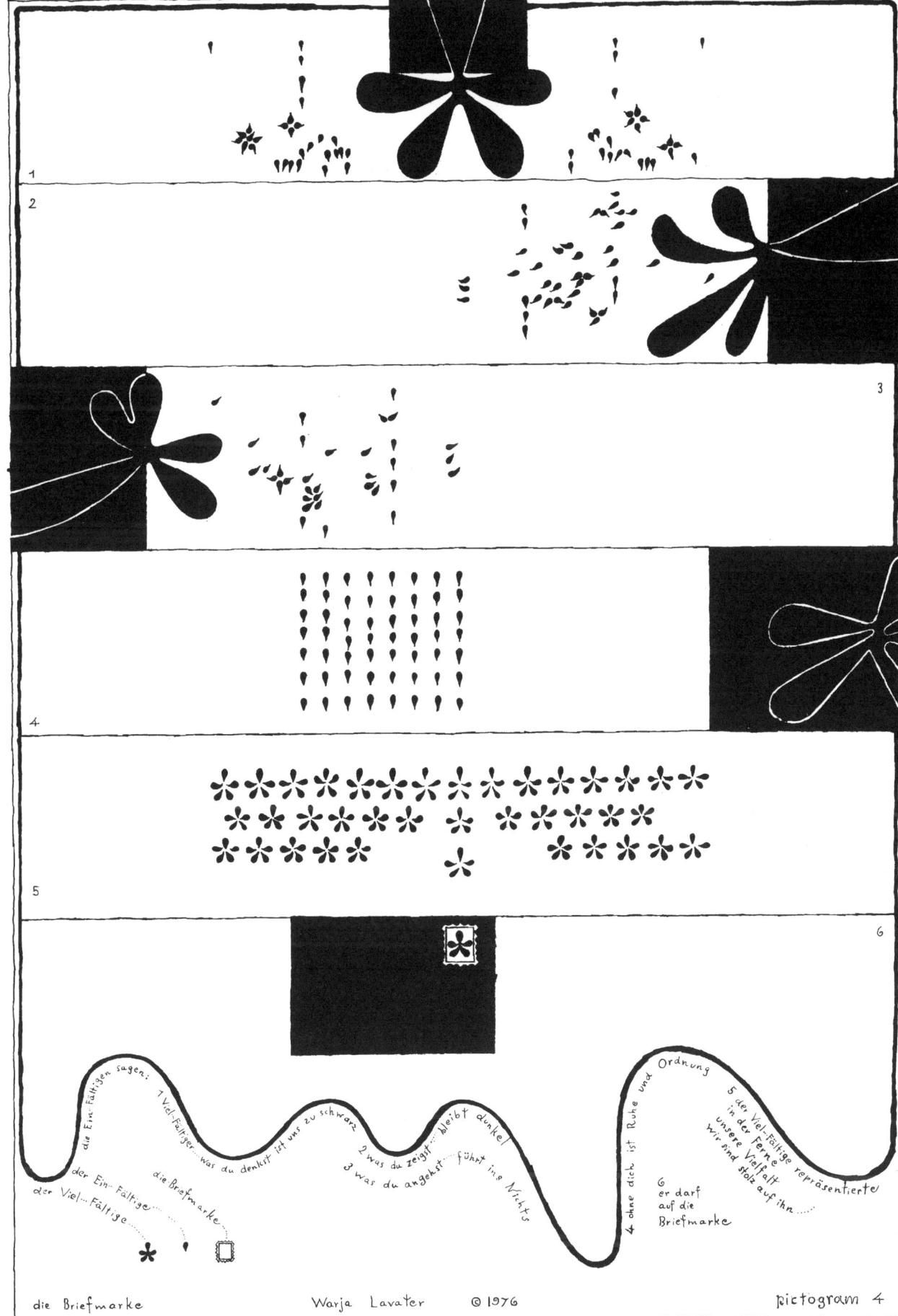

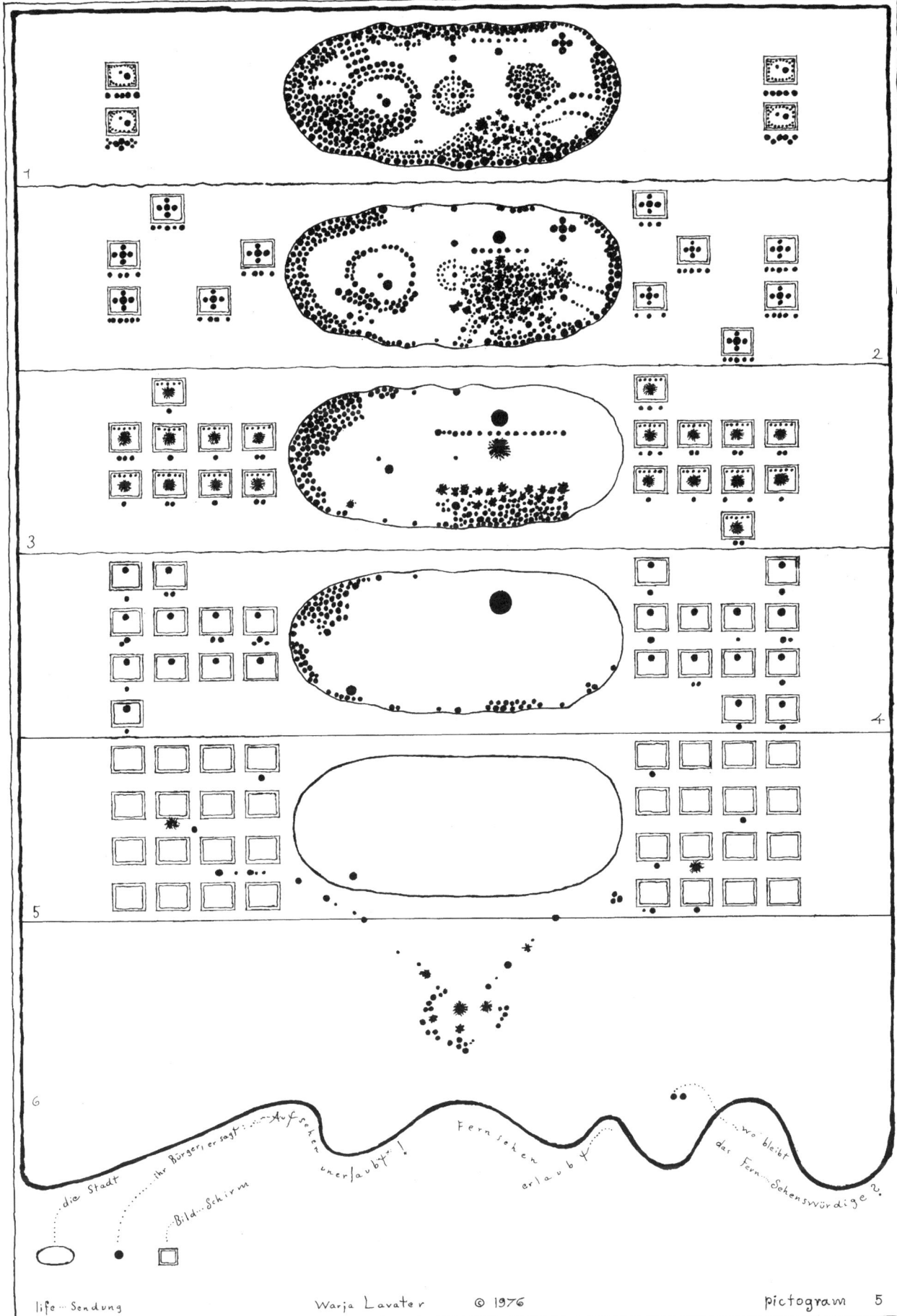

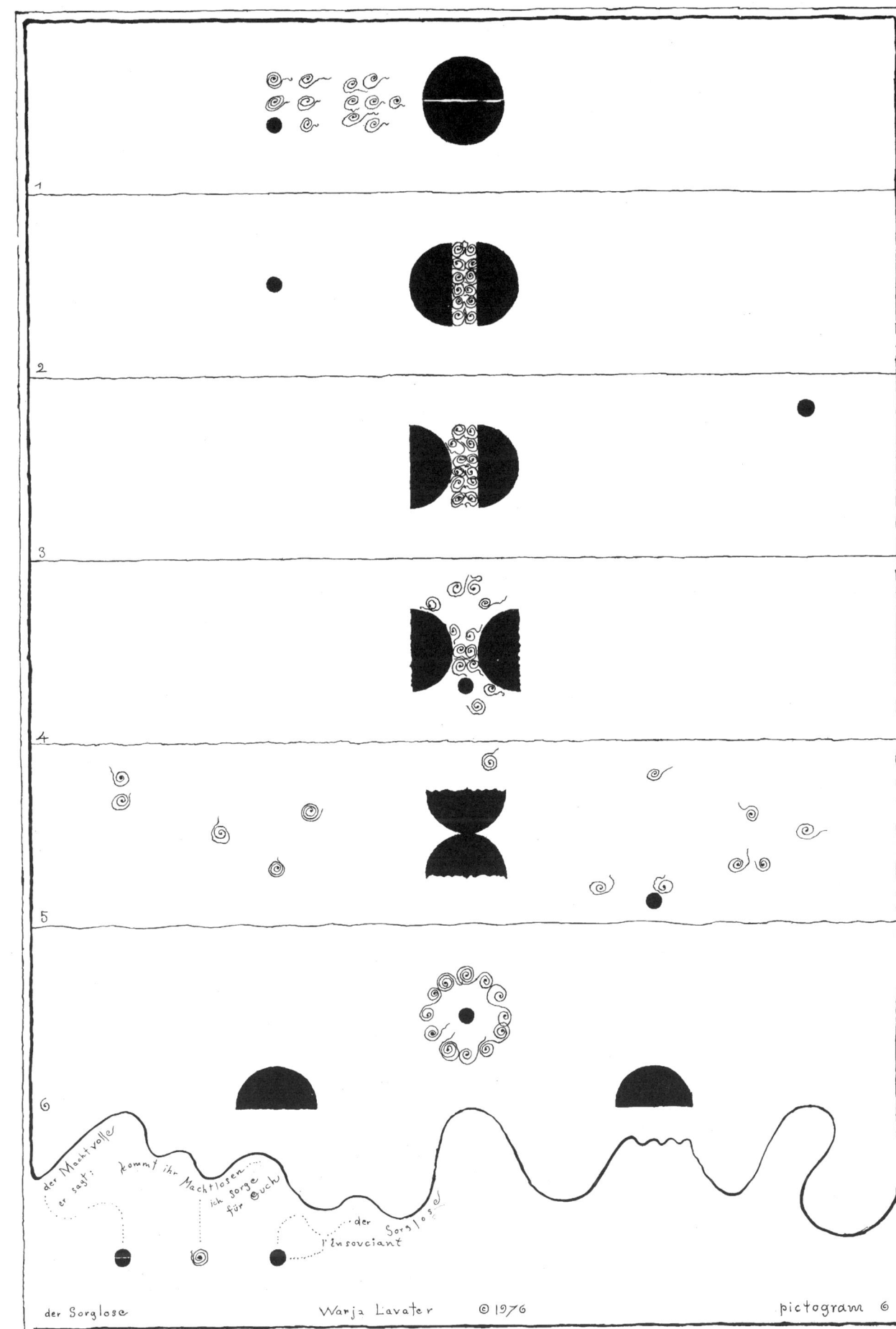

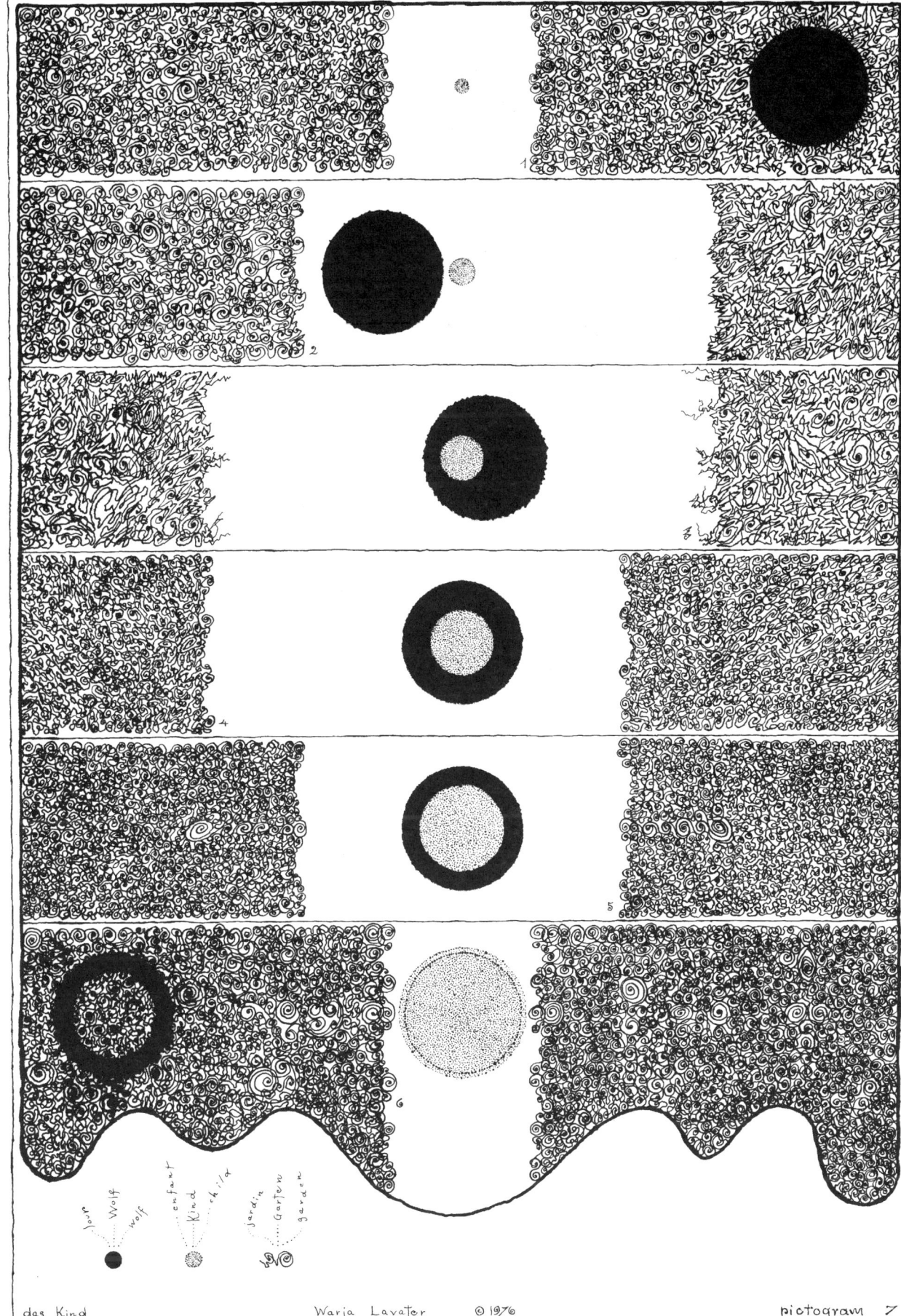

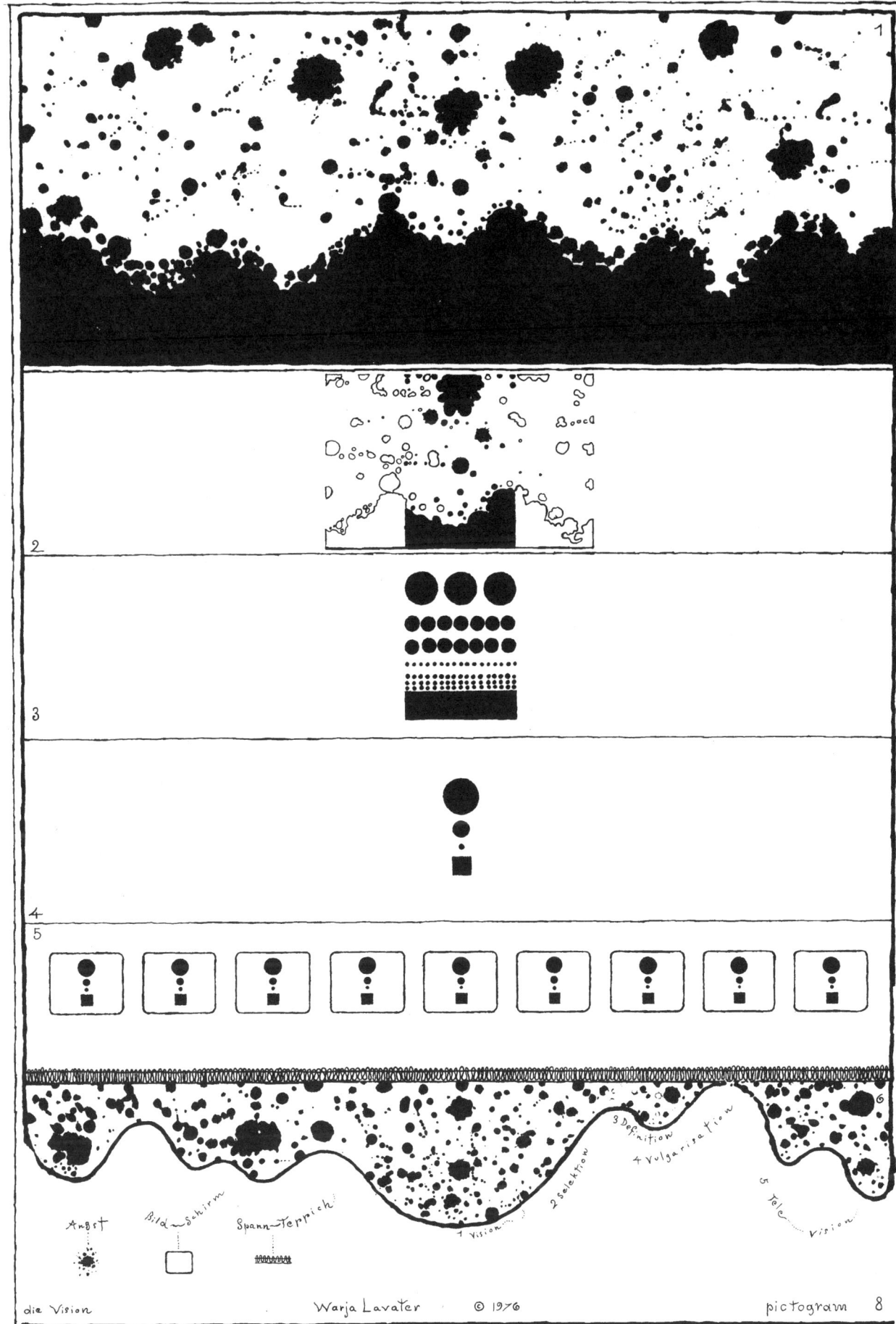

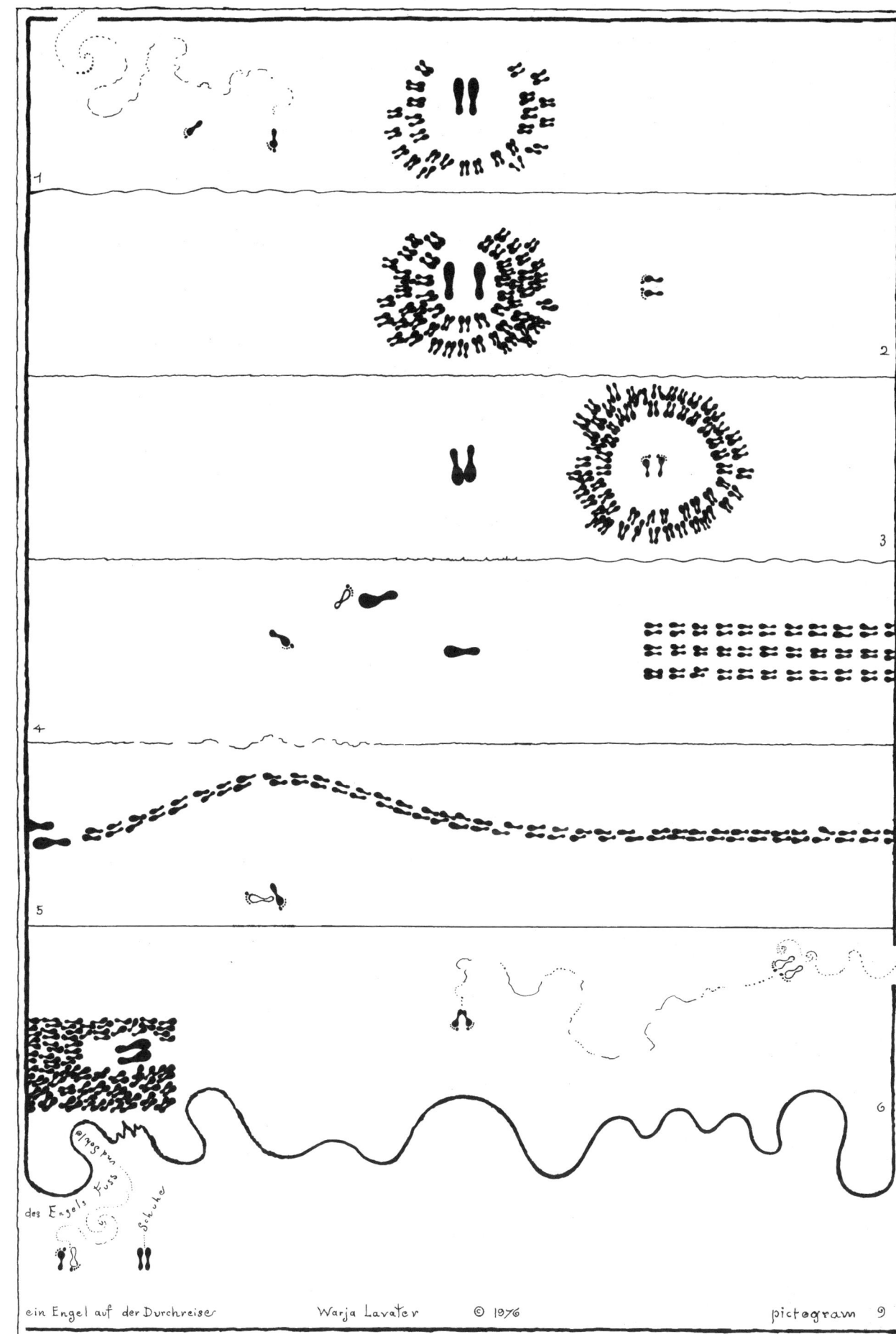

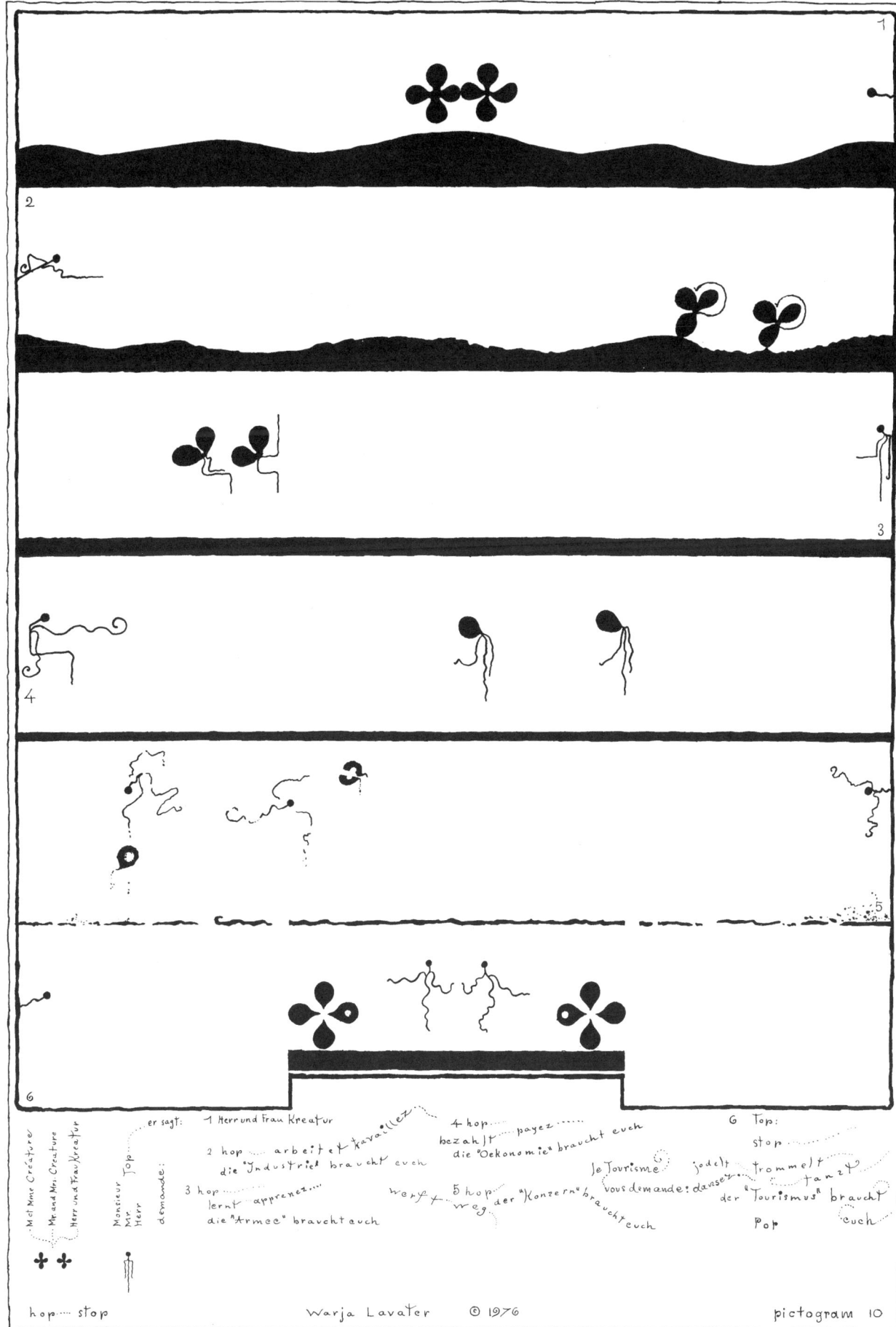

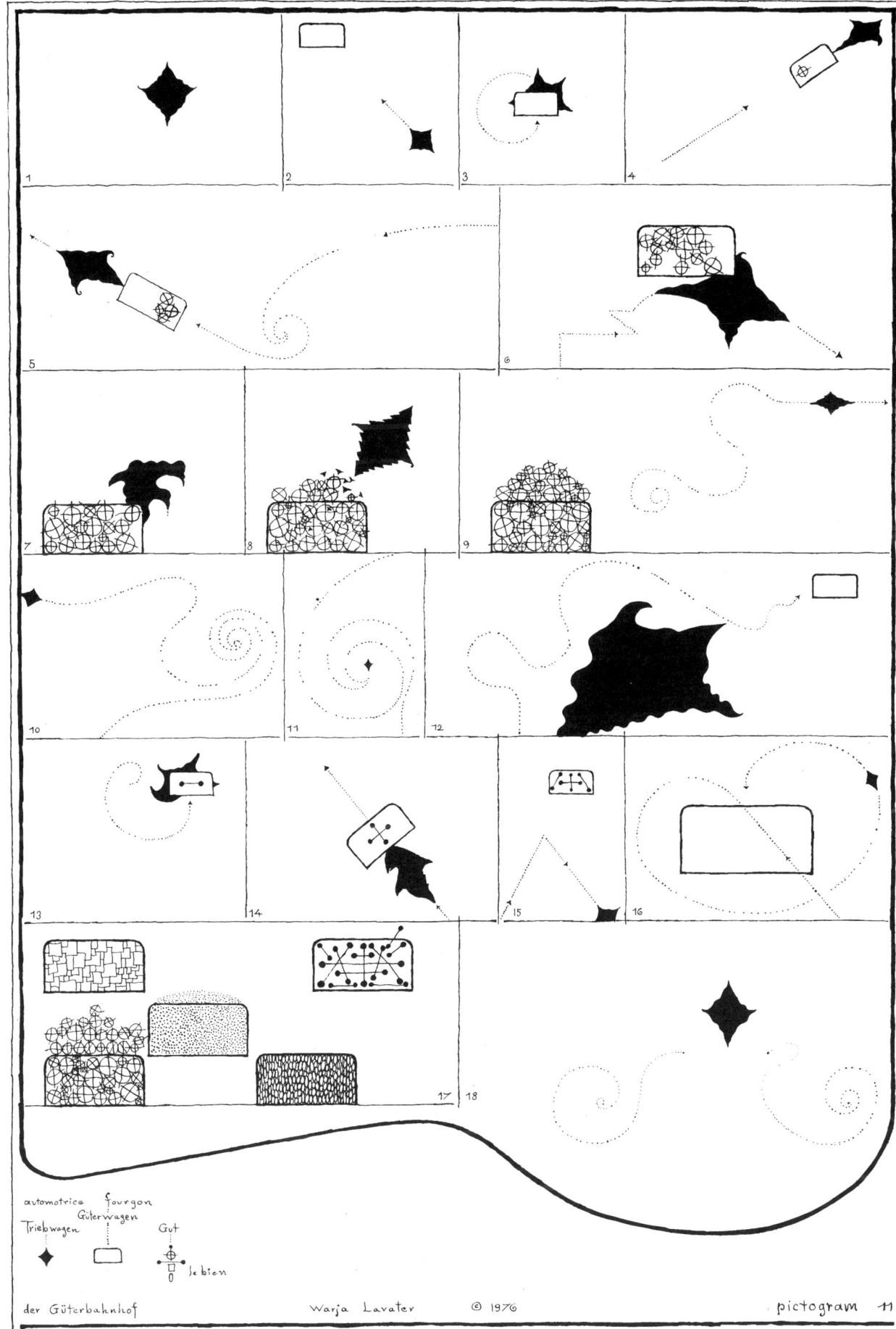

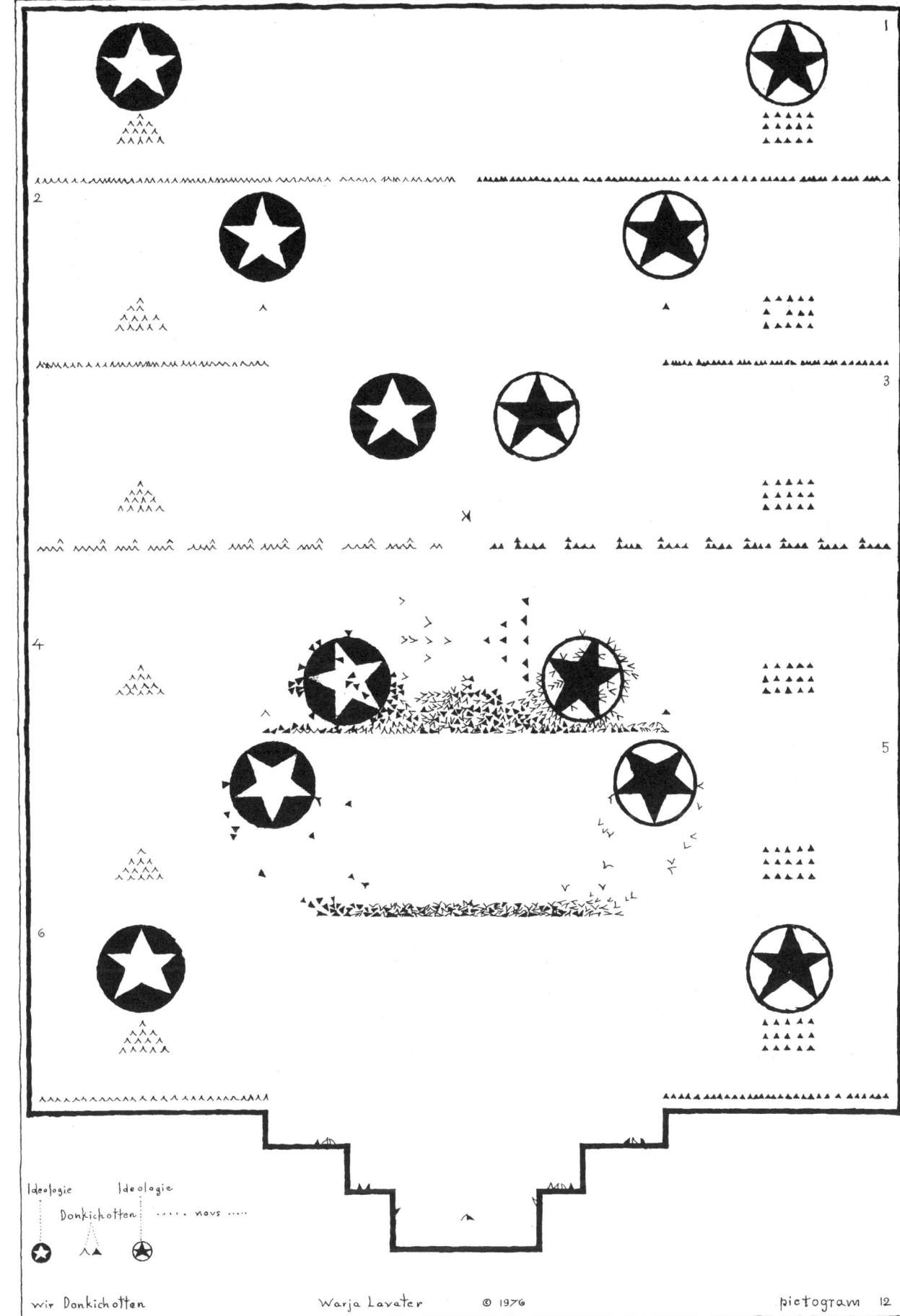

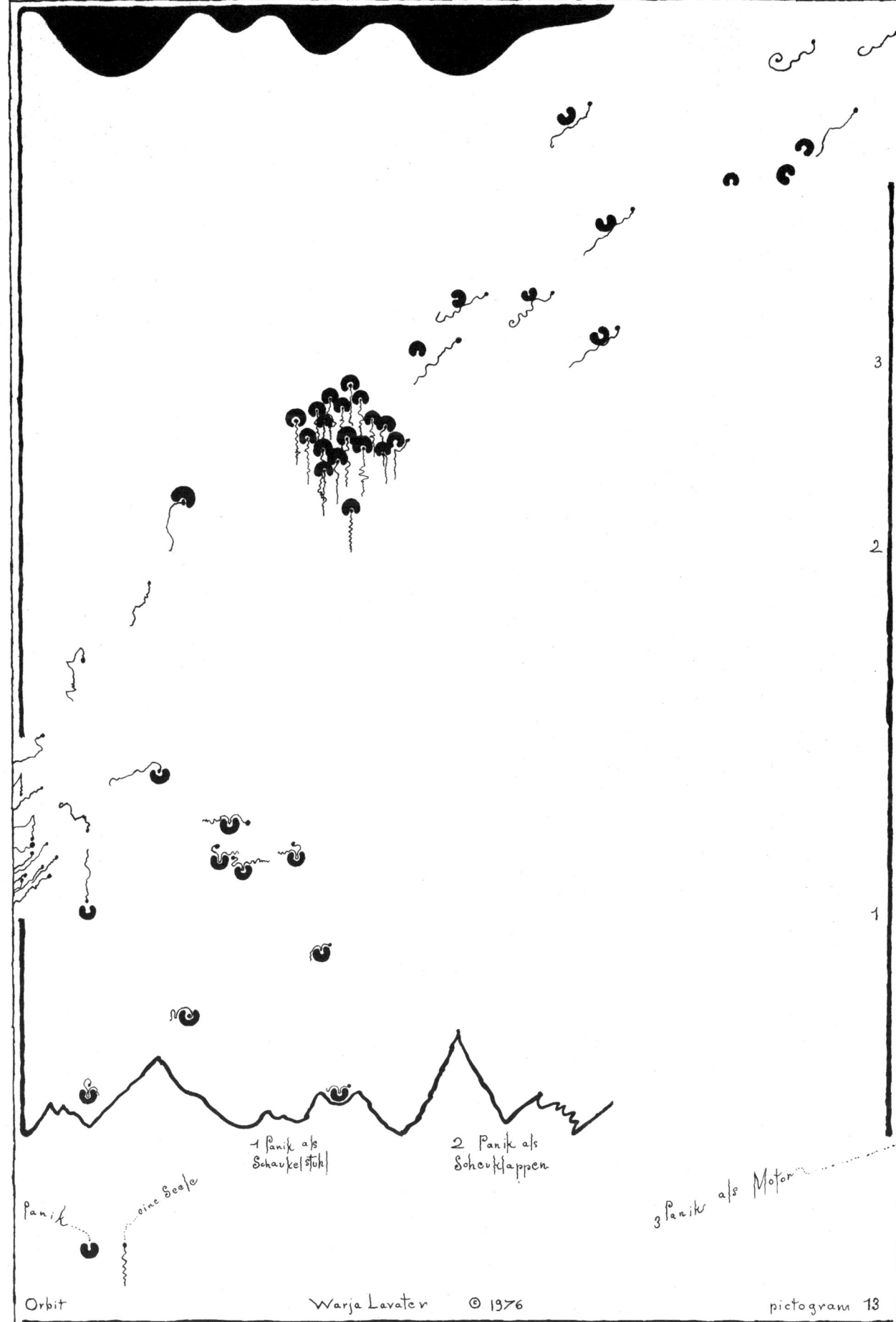

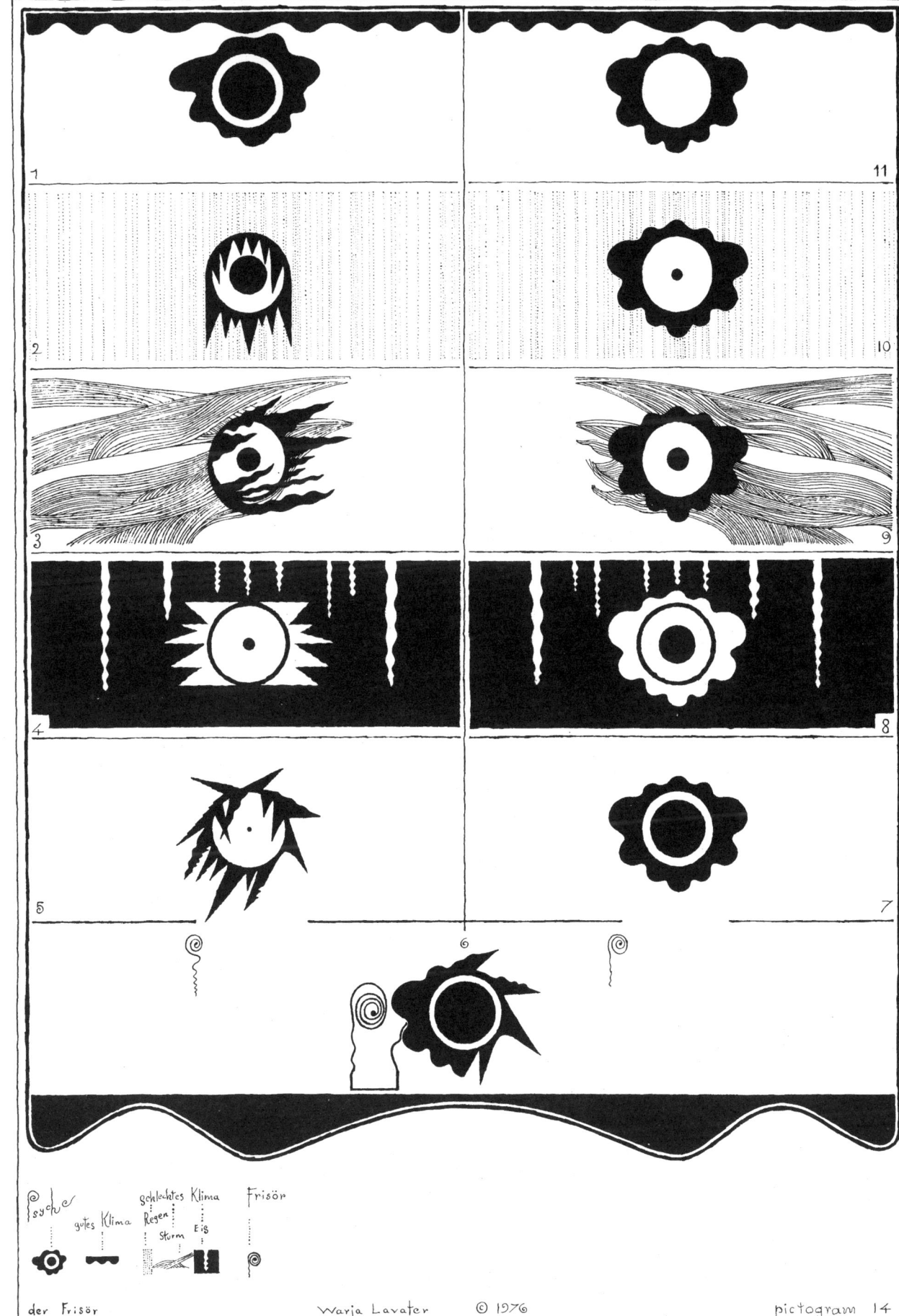

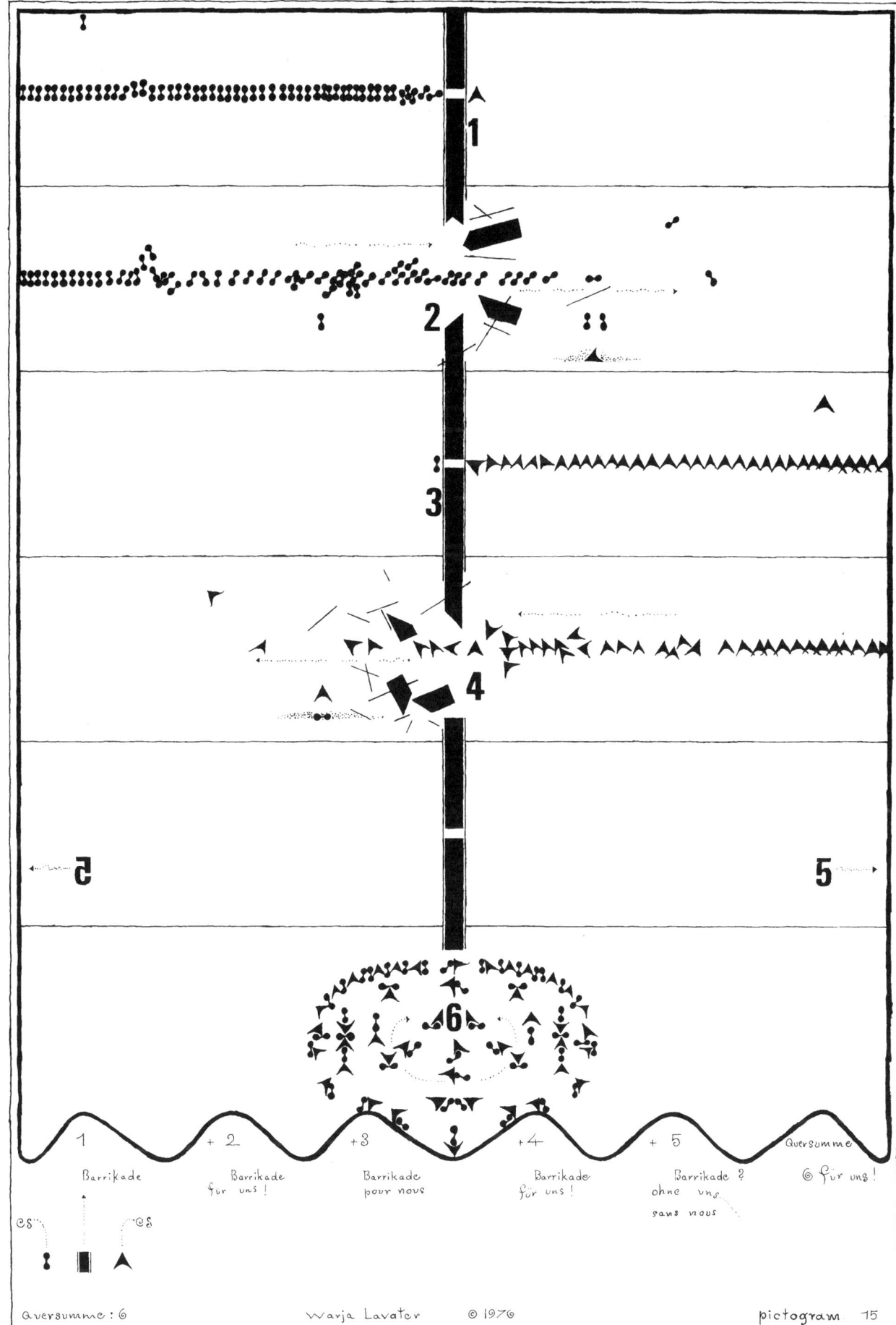

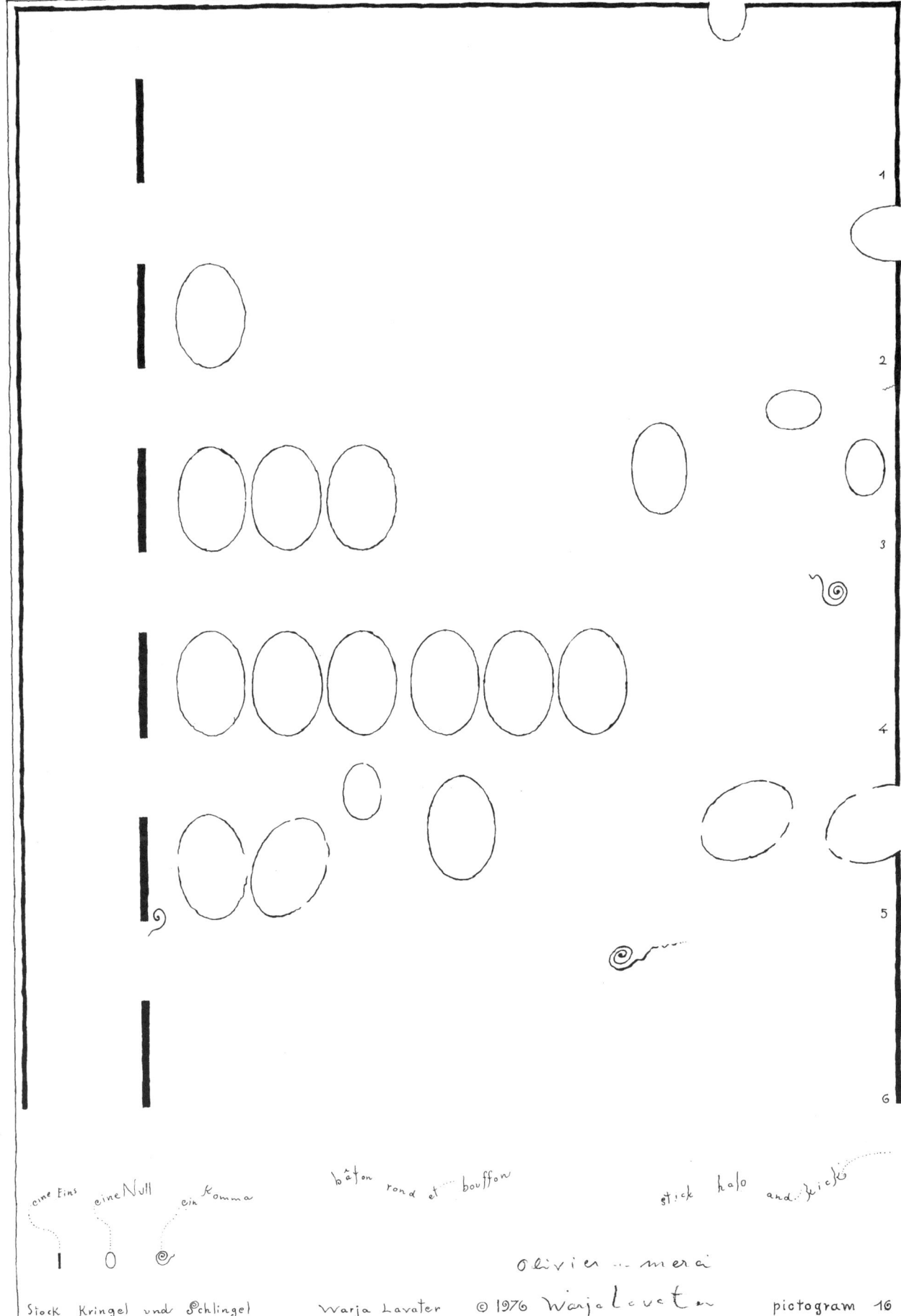

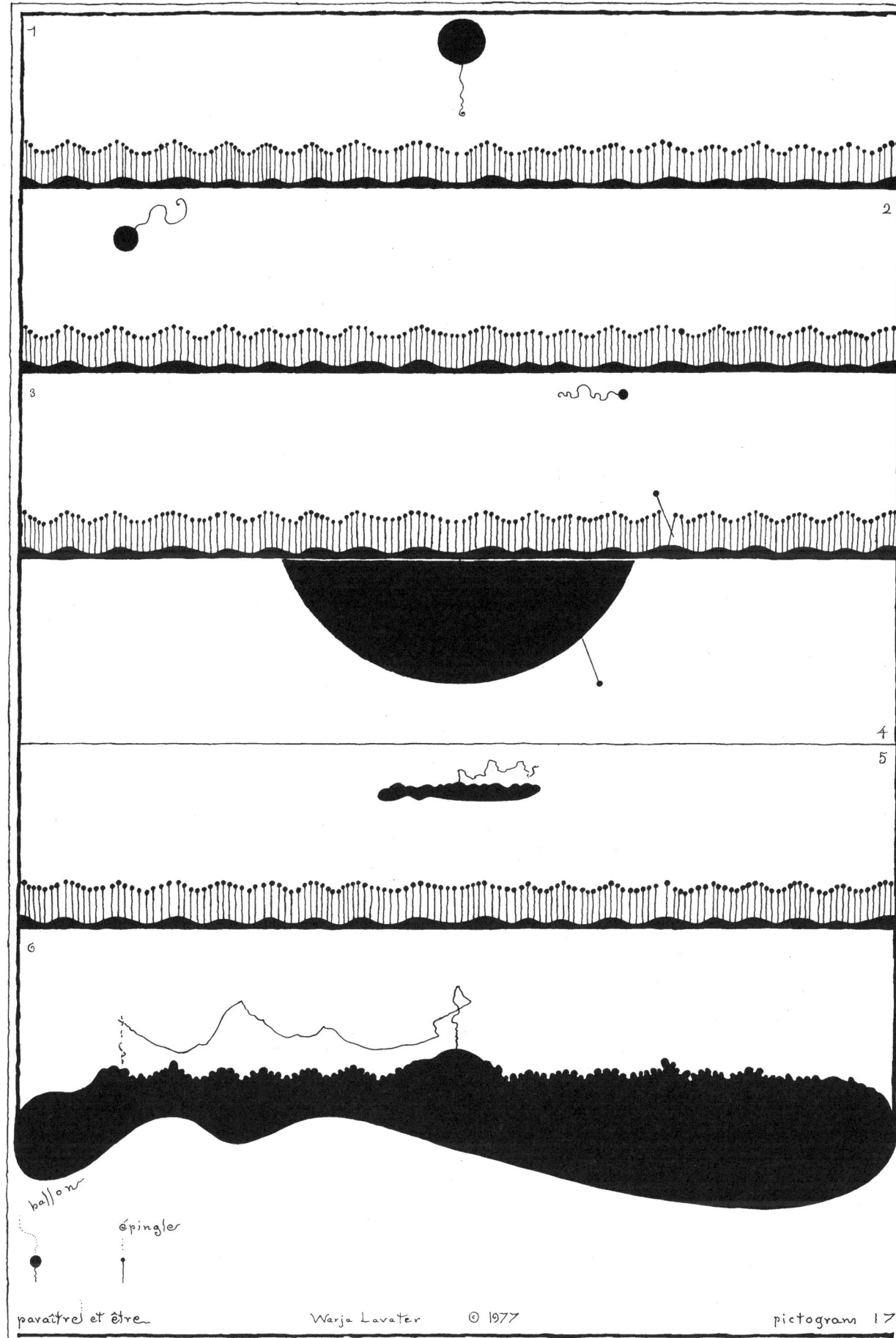

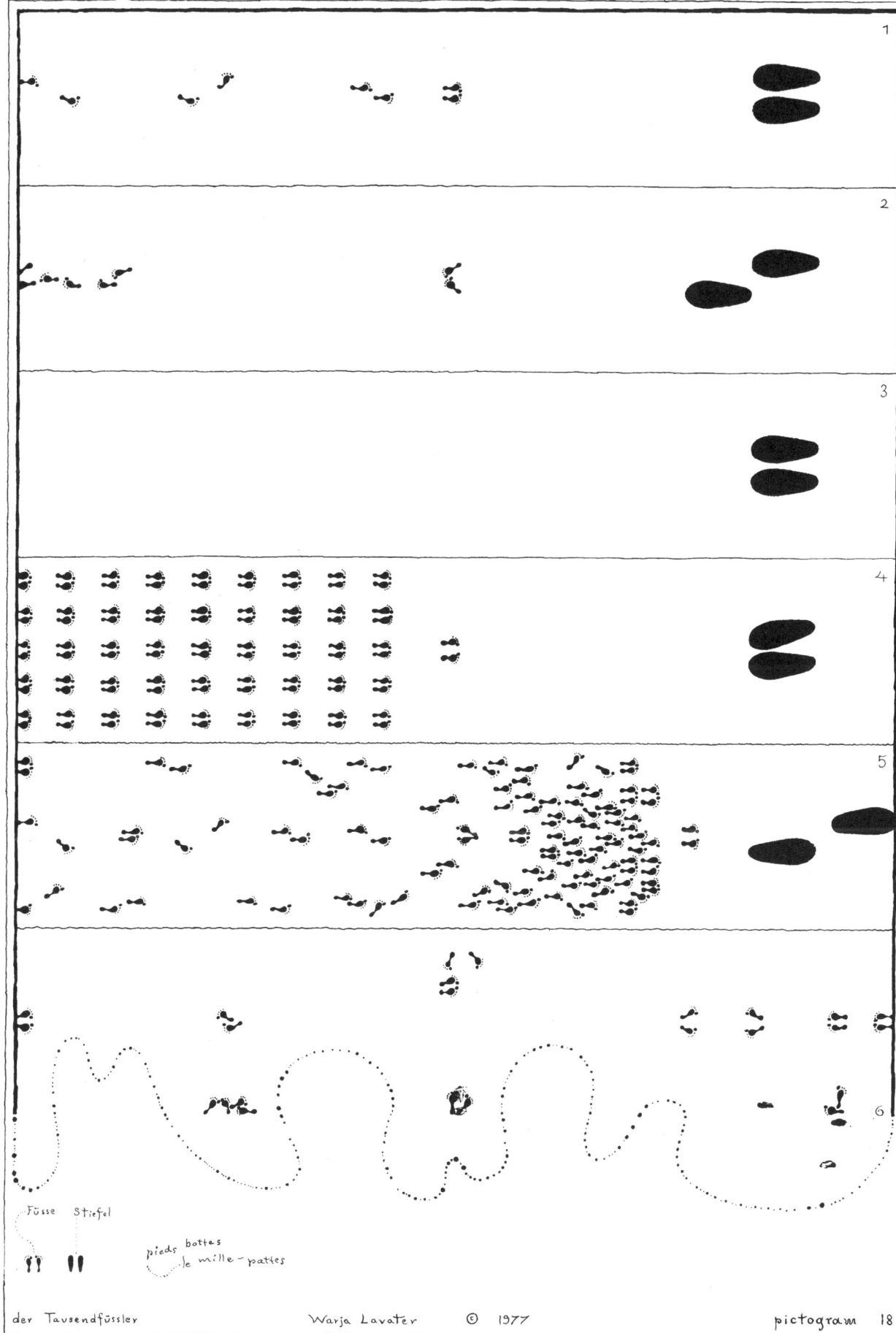

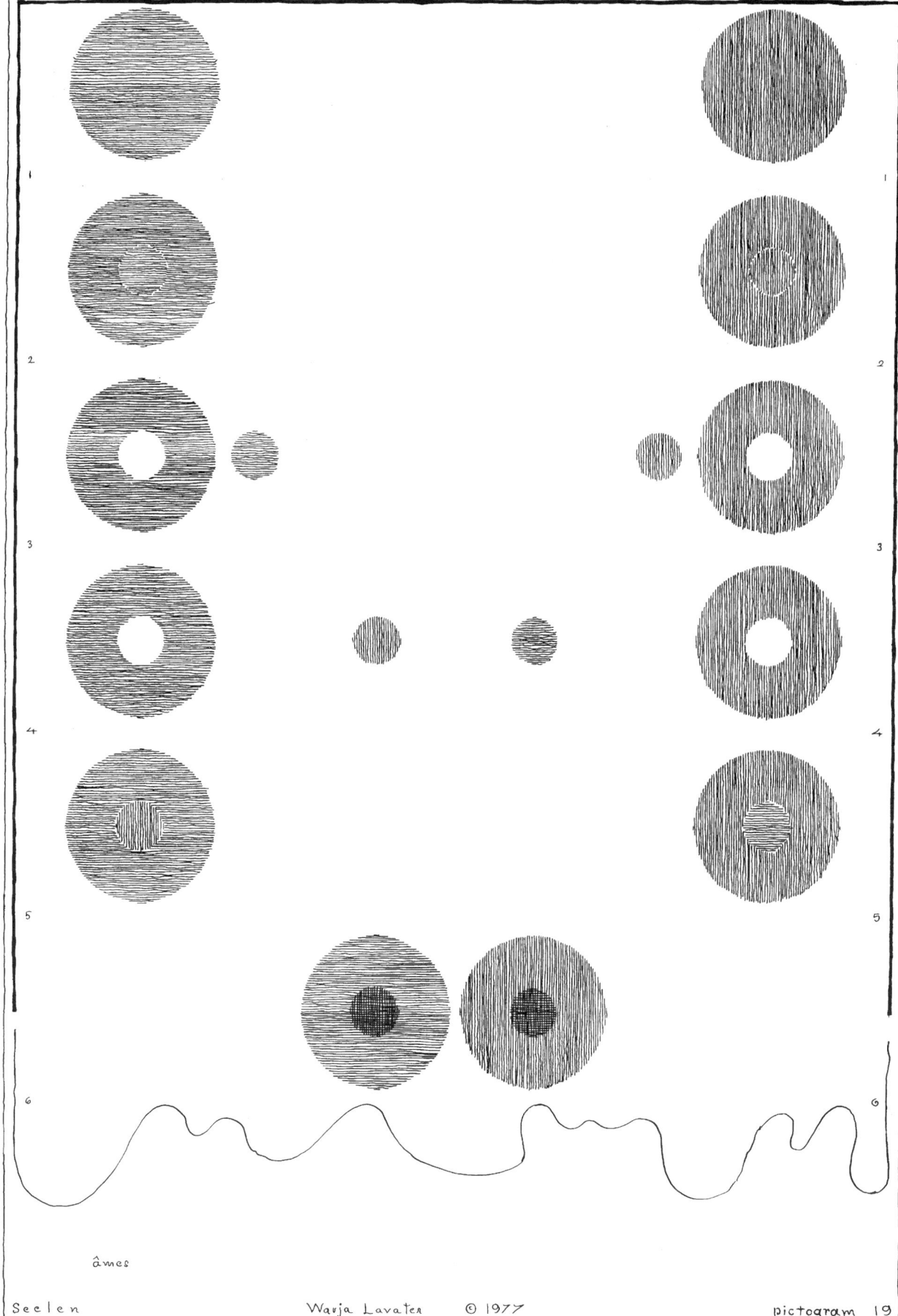

âmes

Seelen  Warja Lavater  © 1977  pictogram 19

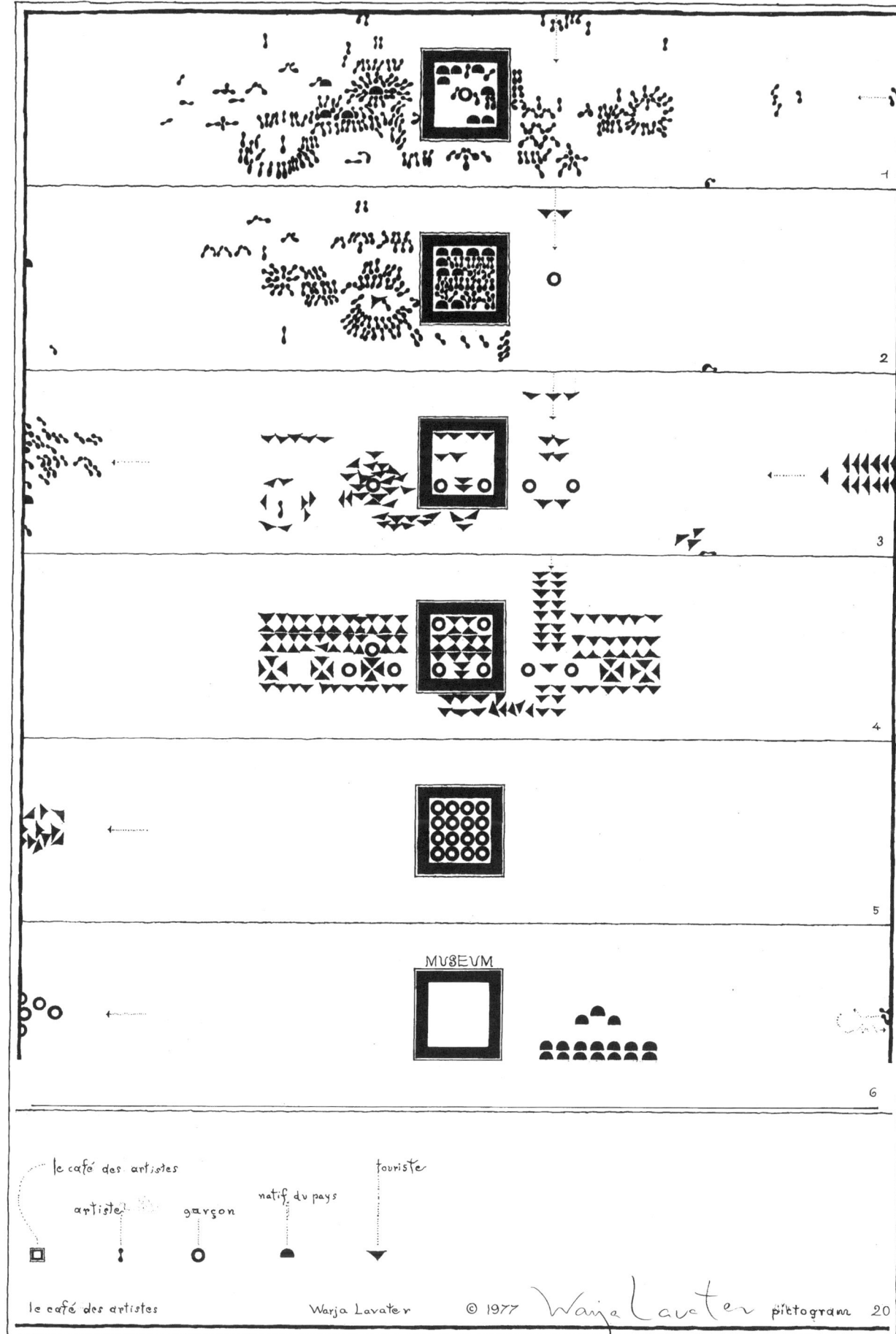

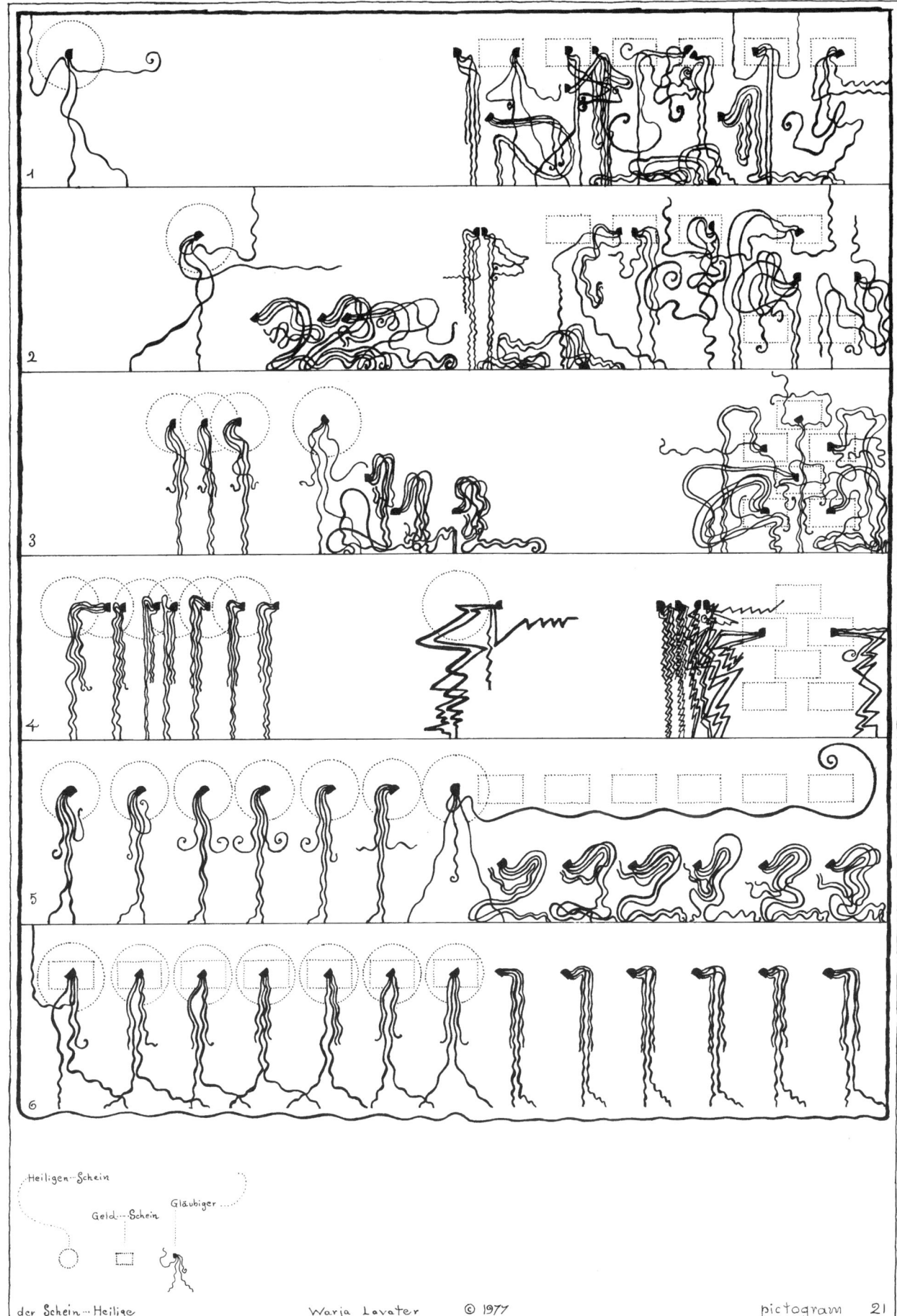

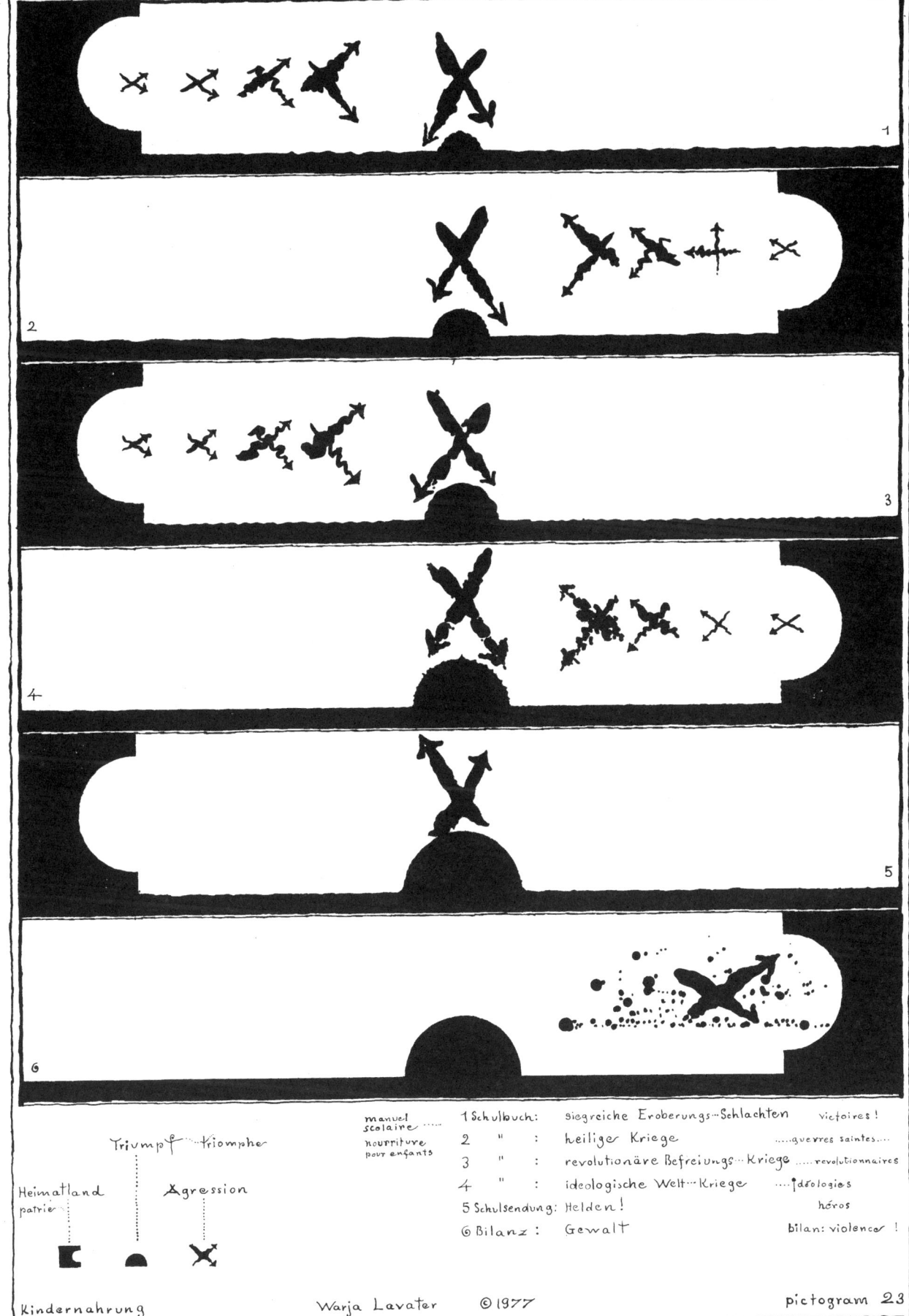

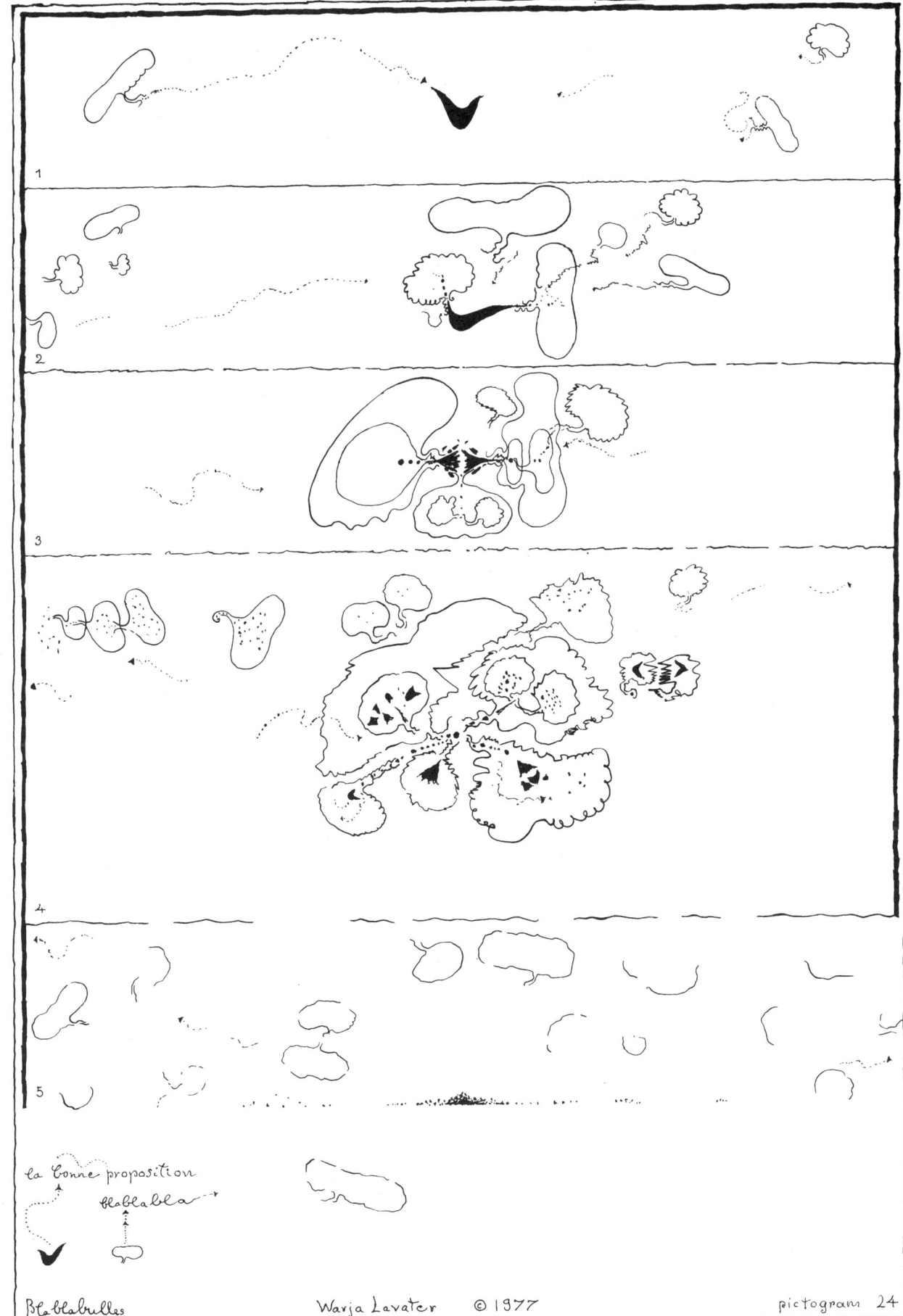

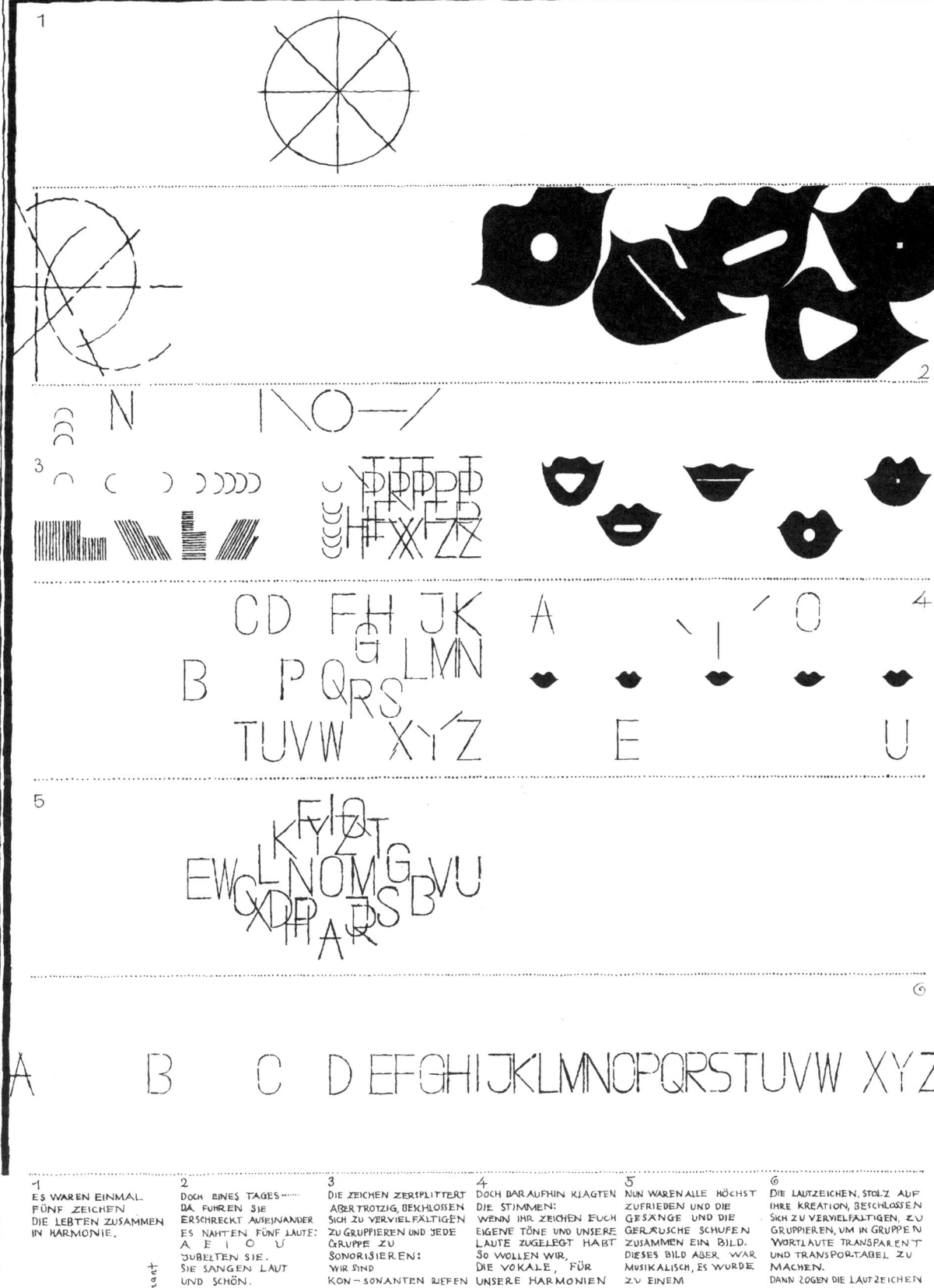

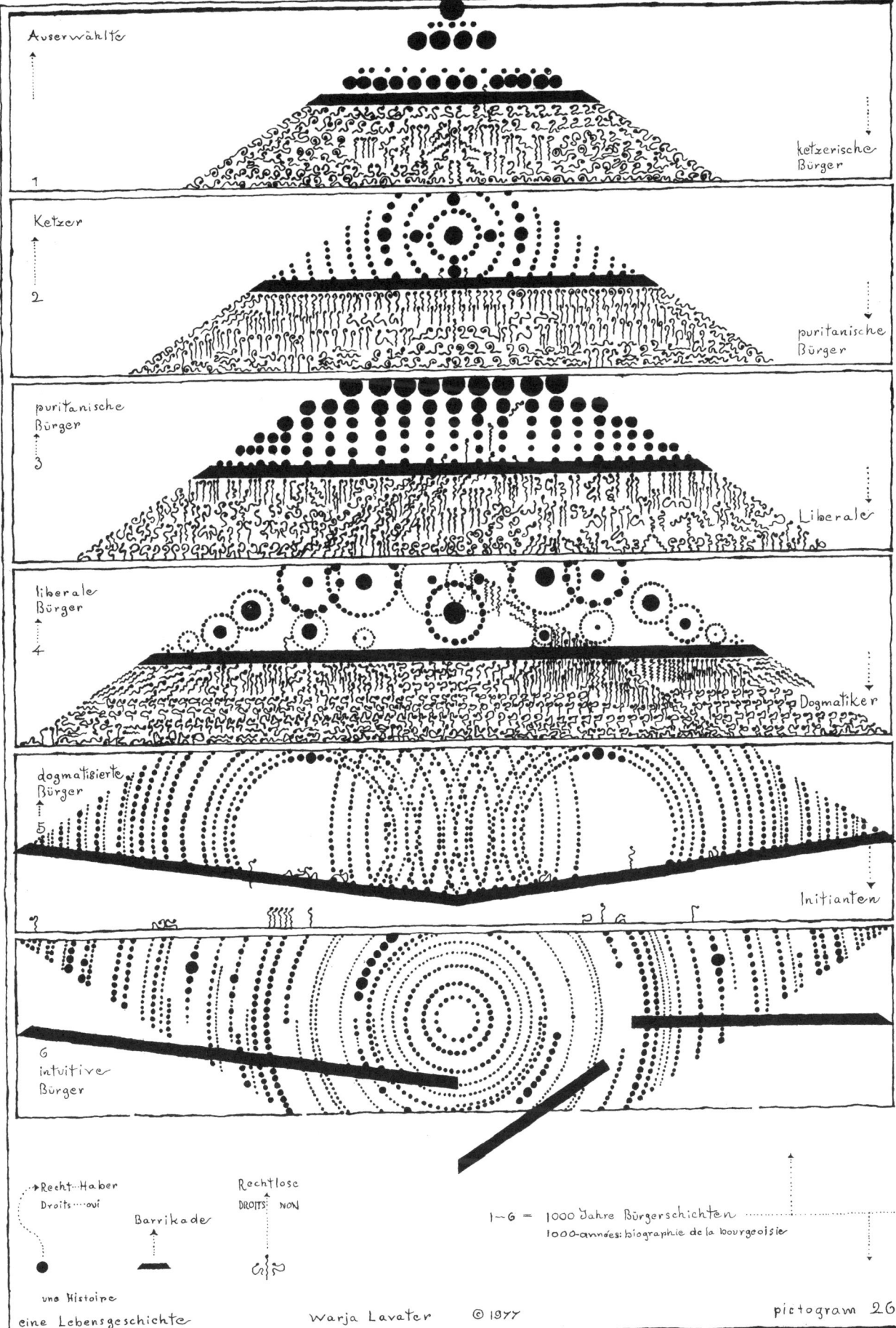

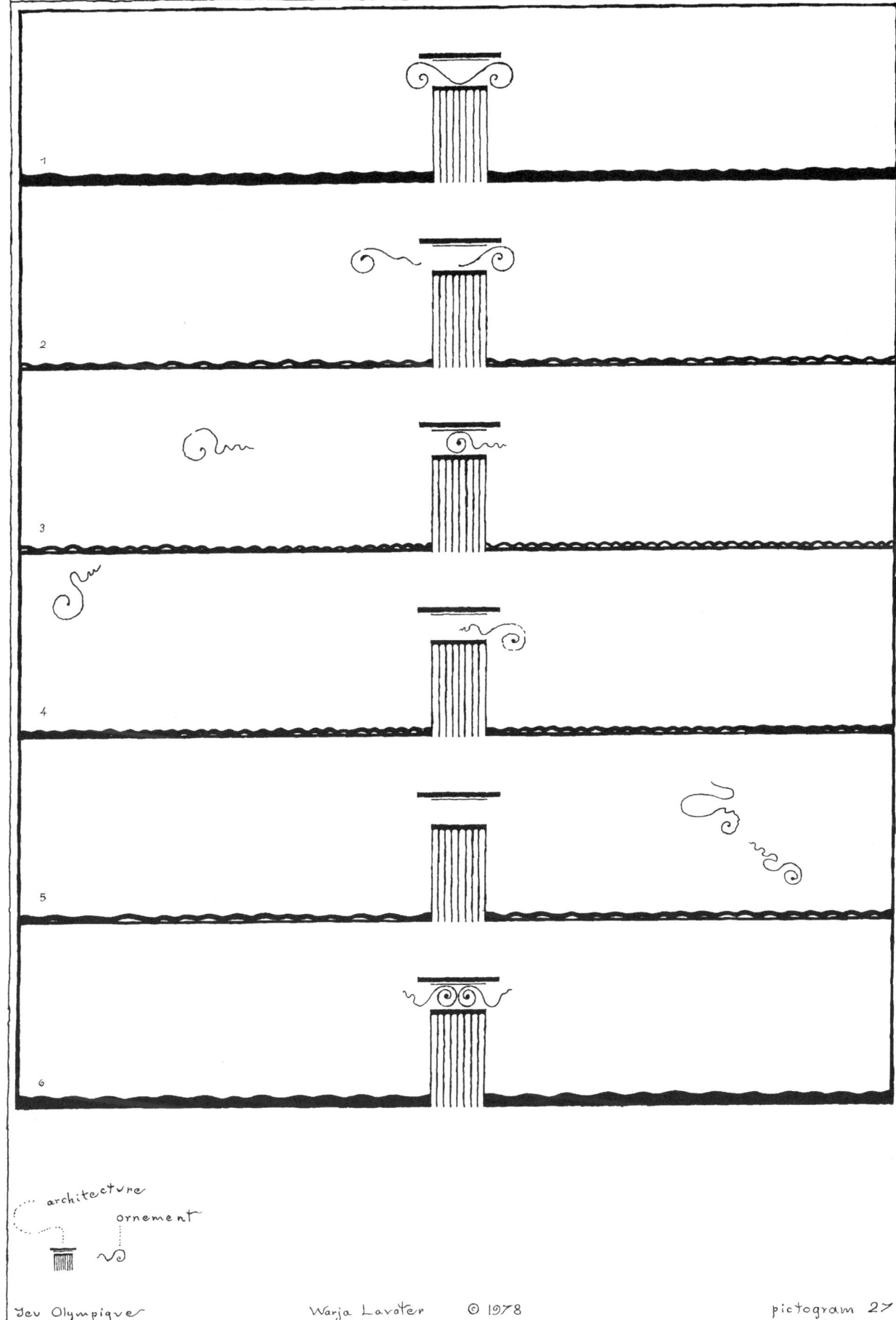

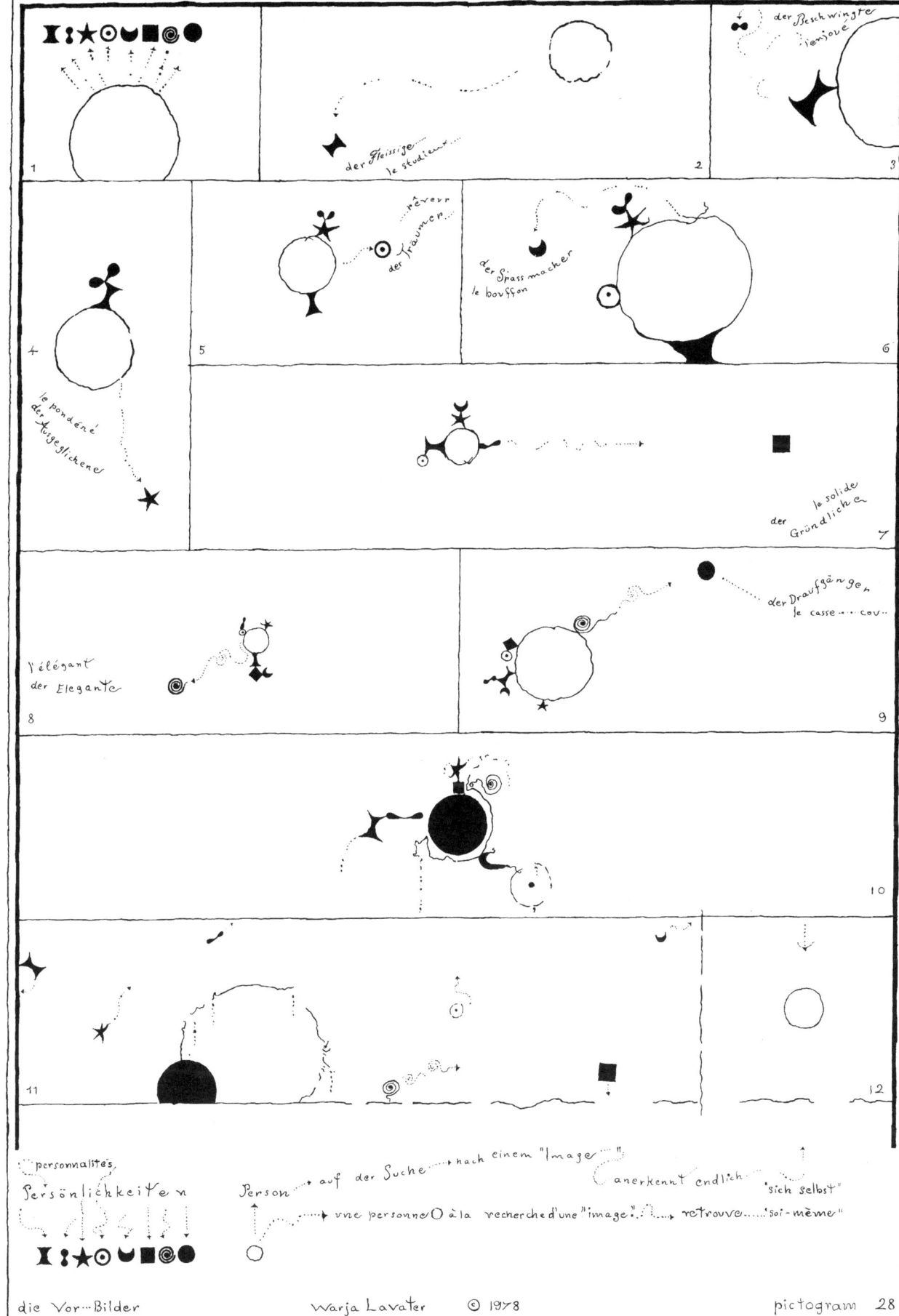

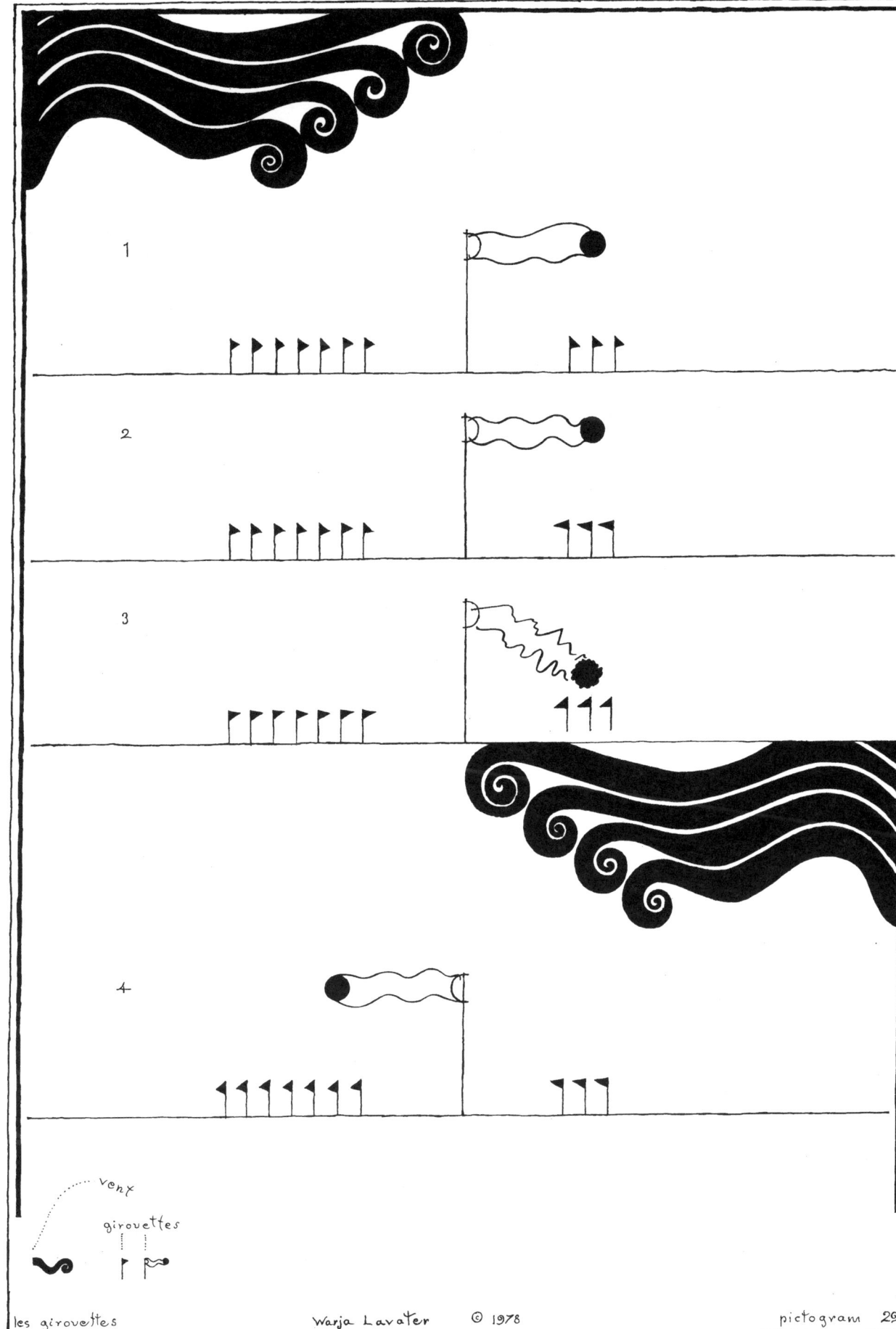

1 — Ruhe

2 — Ordnung

3 — Ruhe und Ordnung

4 — Dynamik

5 — Besinnung

6 — das neue Schweizer-Kreuz

Dynamik und Besinnung
×

ein Schweizerkreuz    Warja Lavater    © 1978    pictogram 30

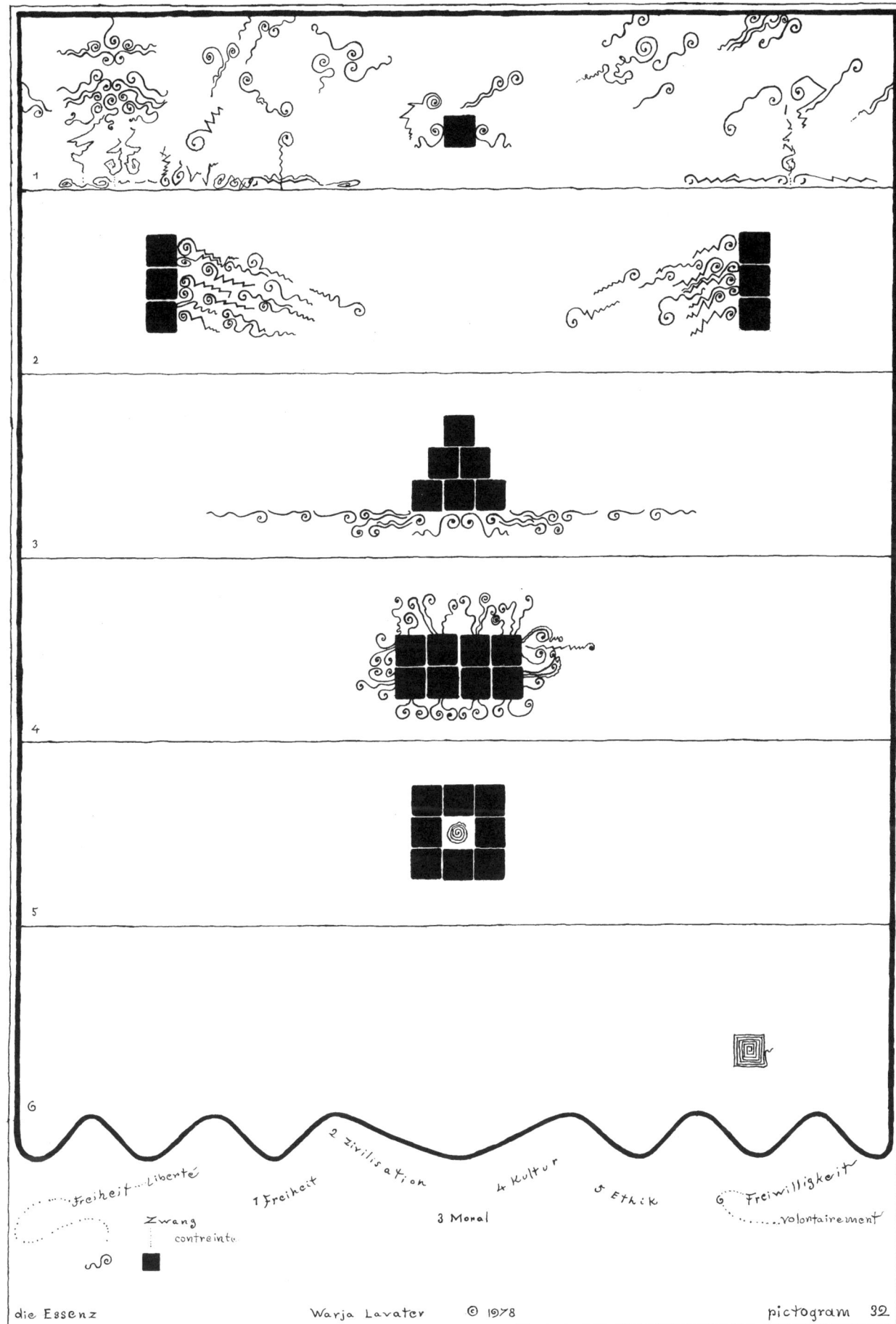

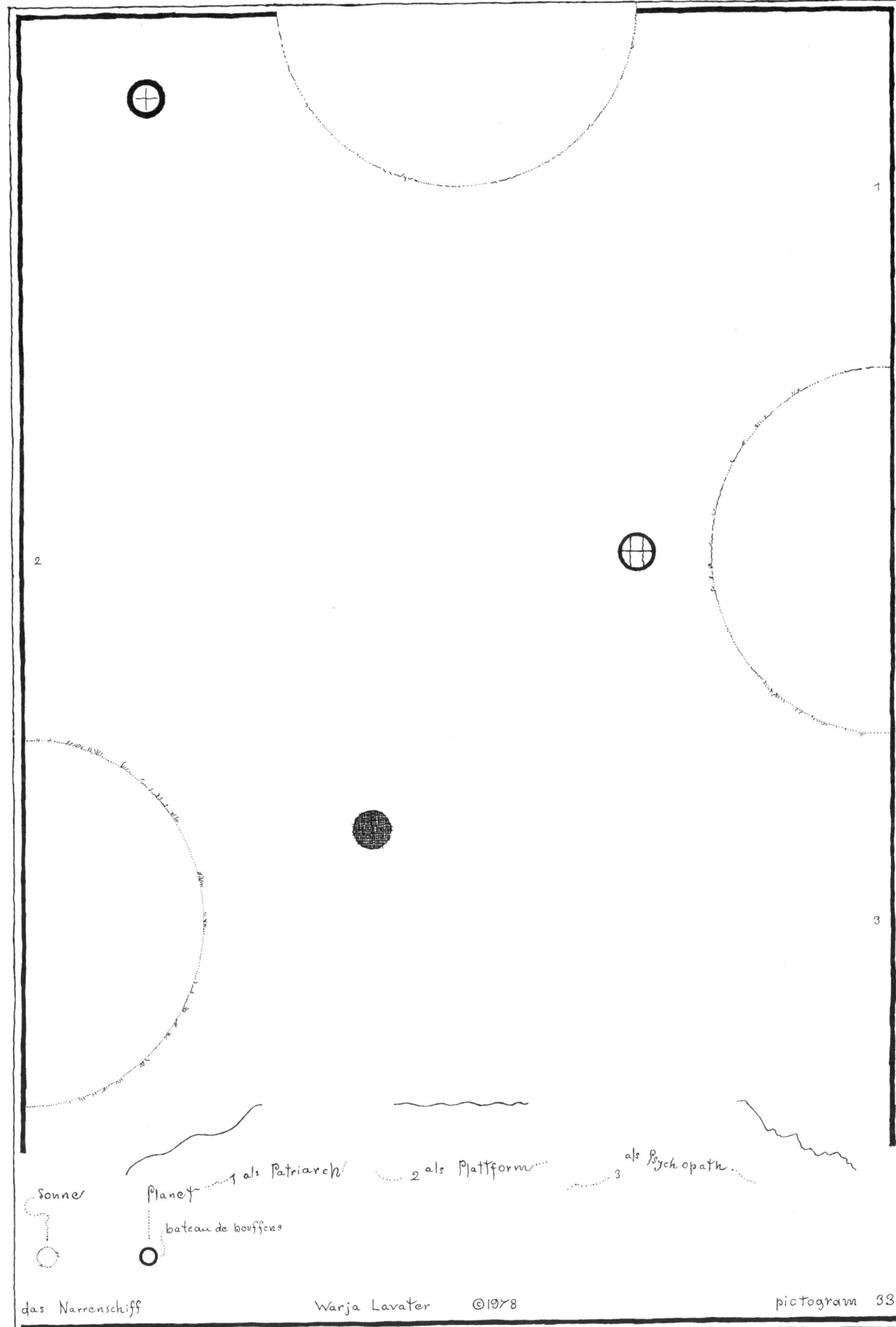

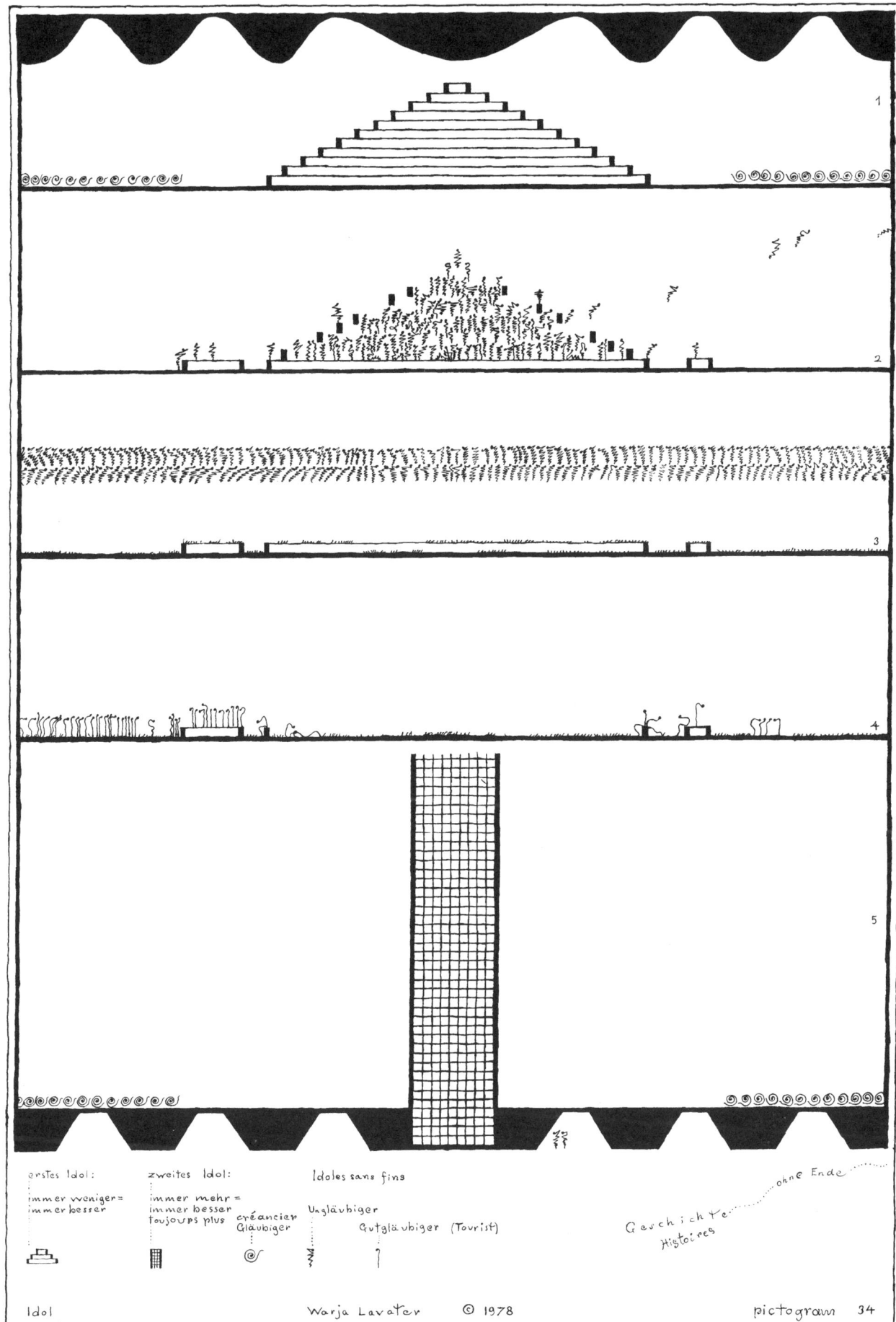

névrosés....

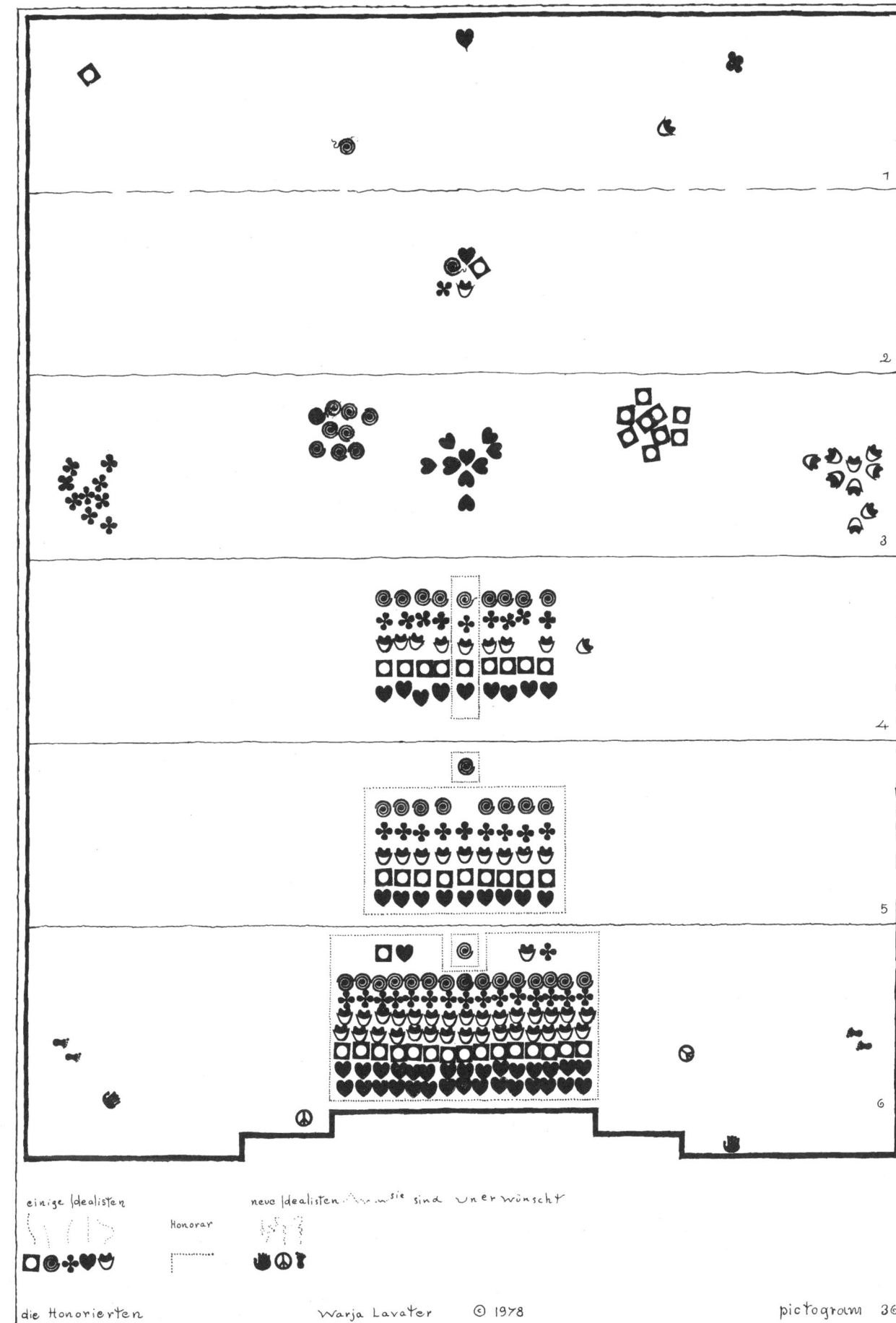

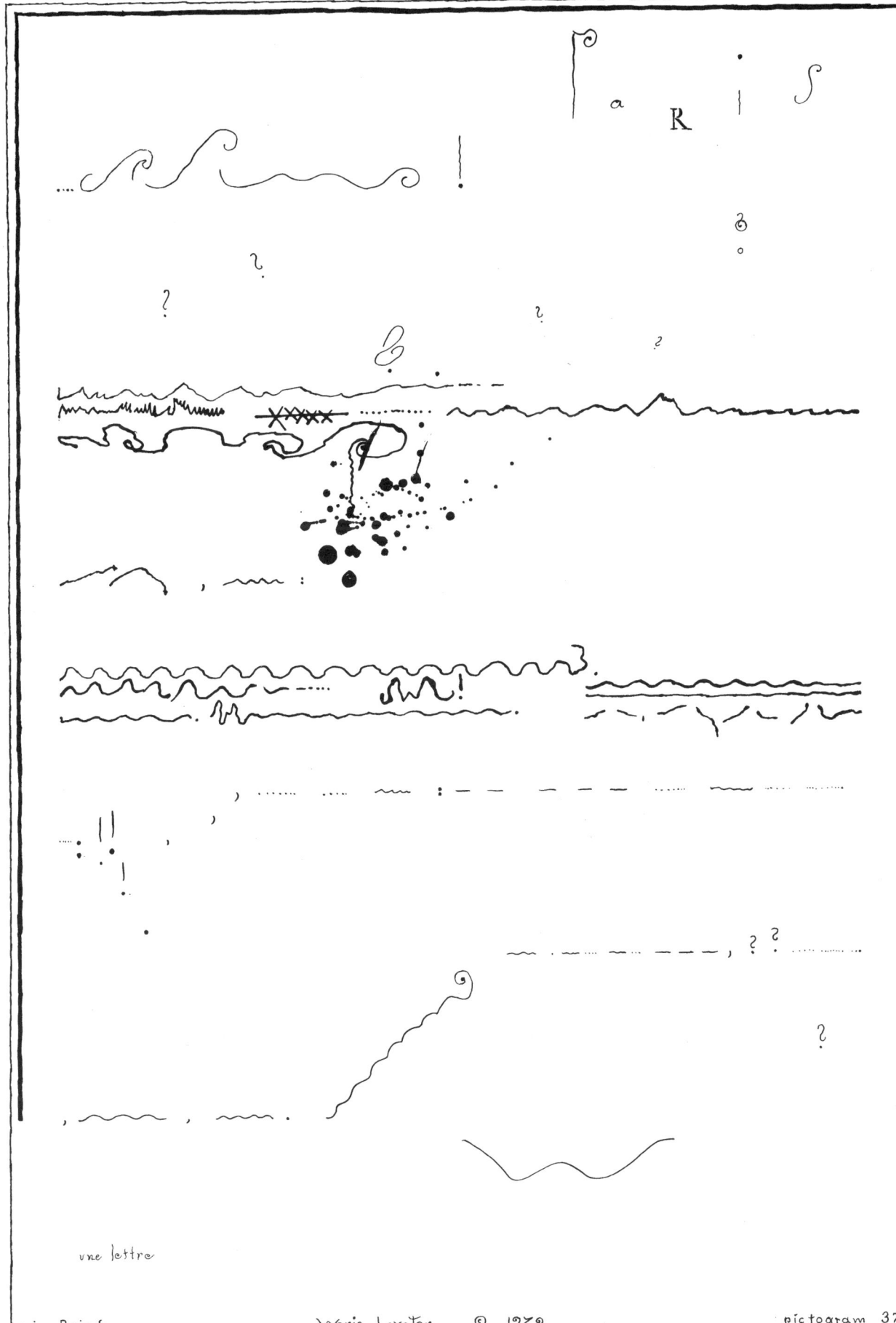

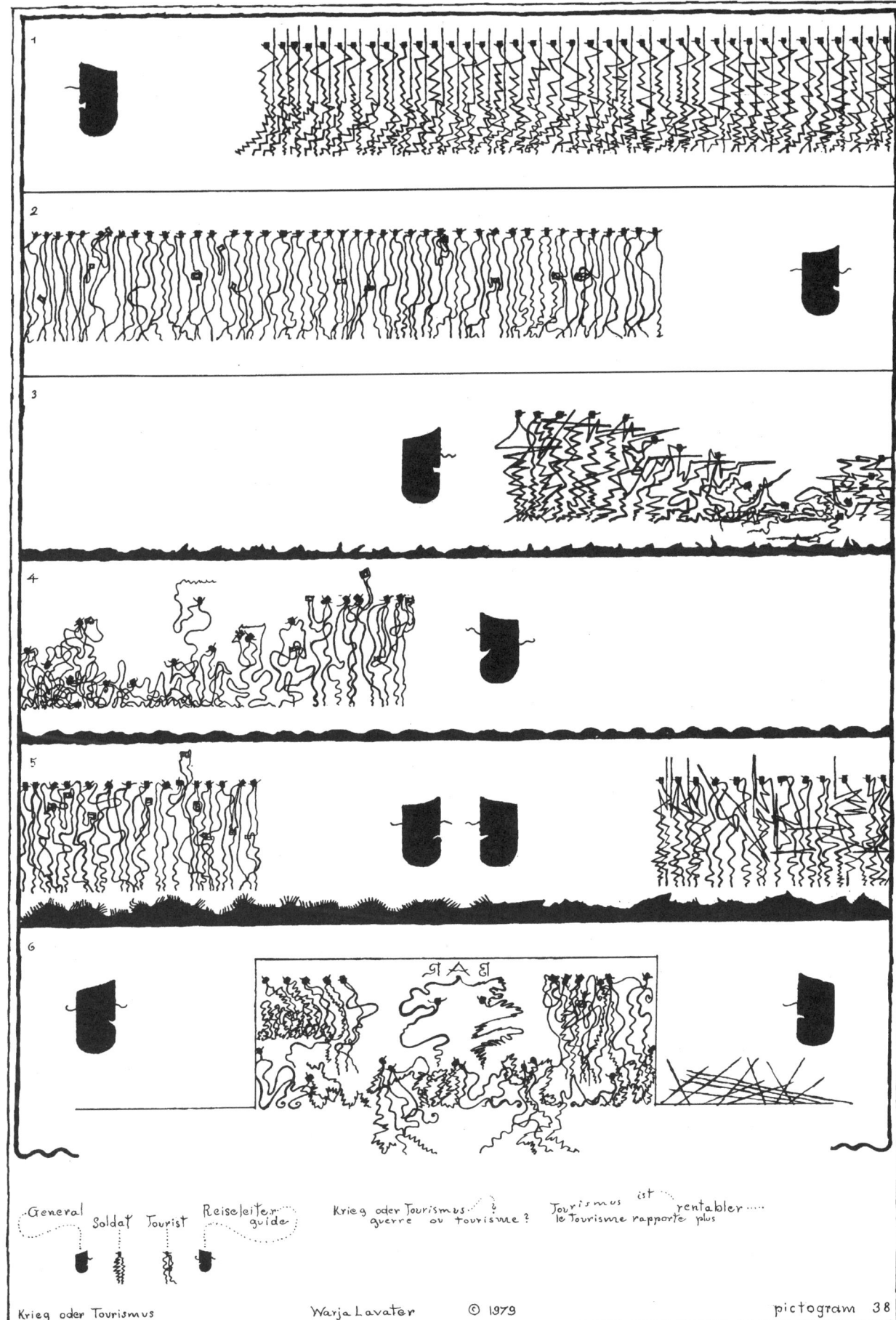

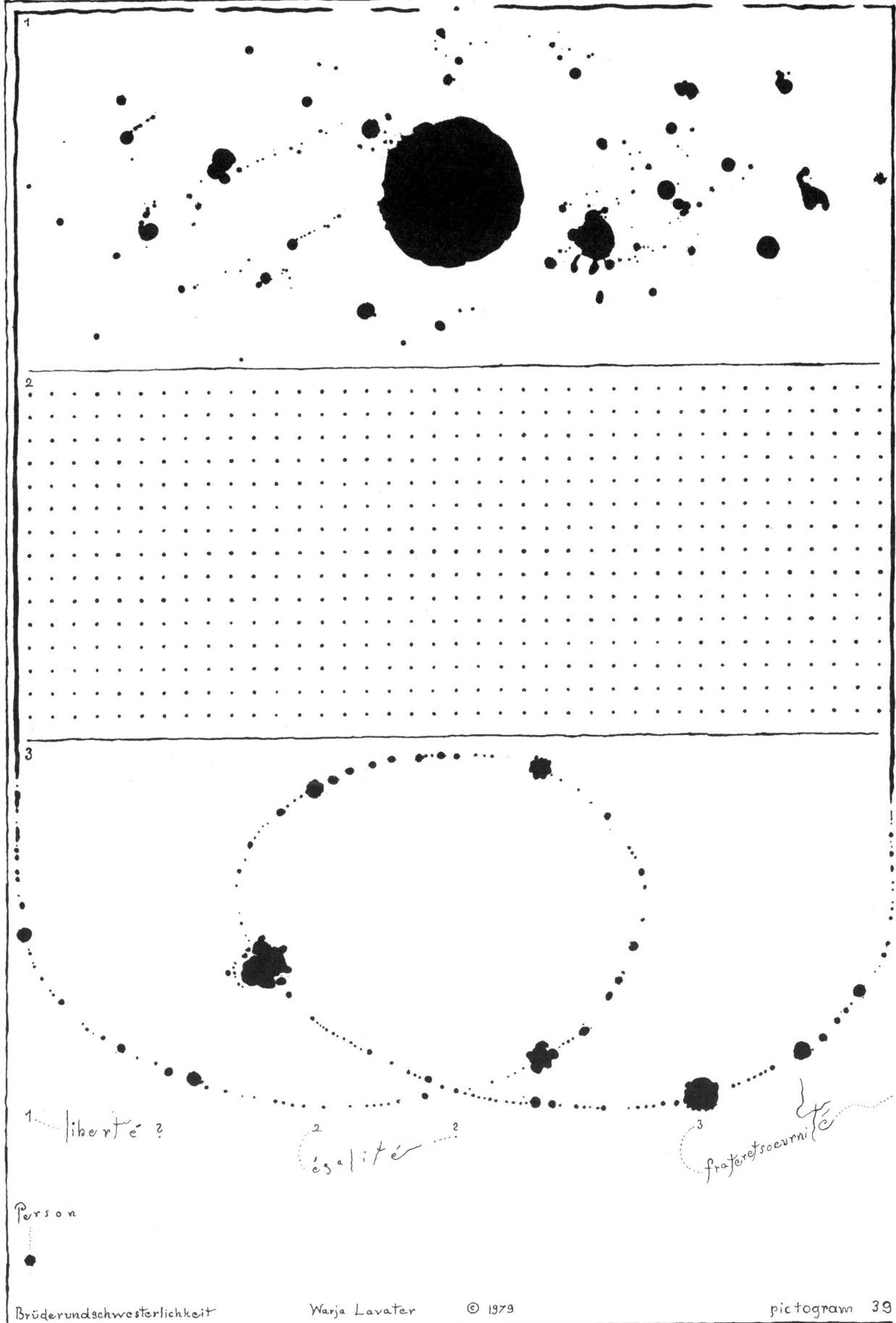

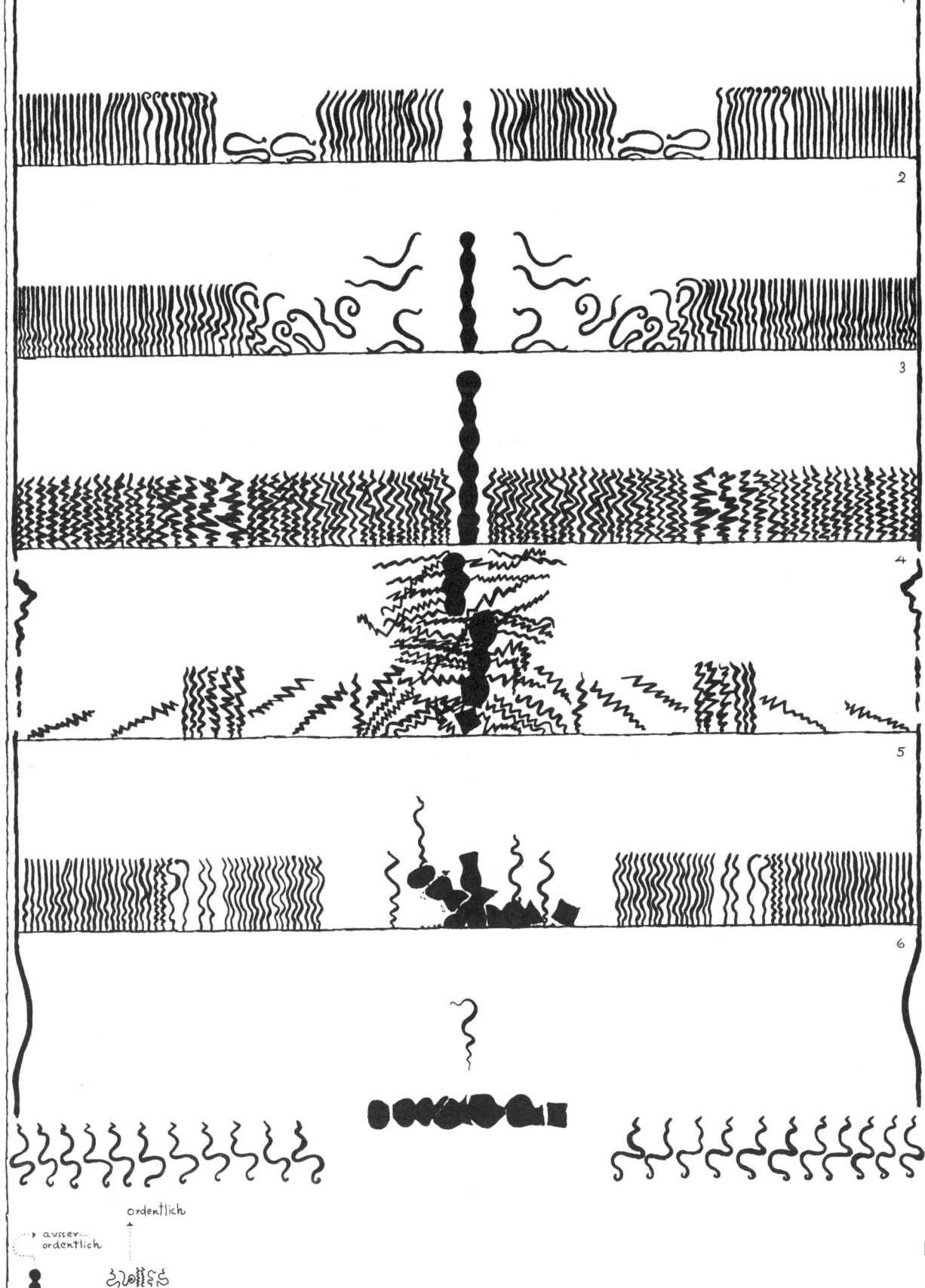

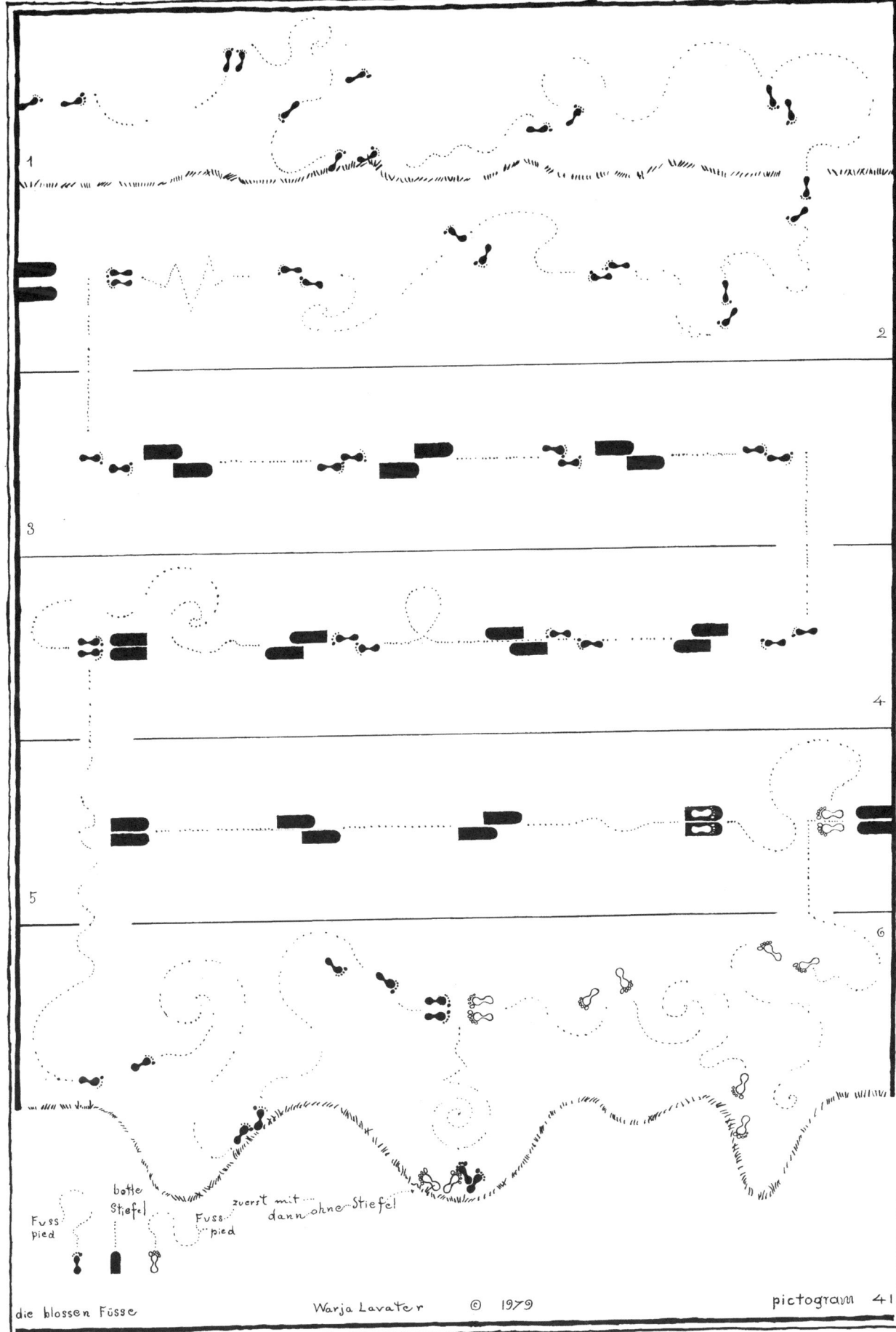

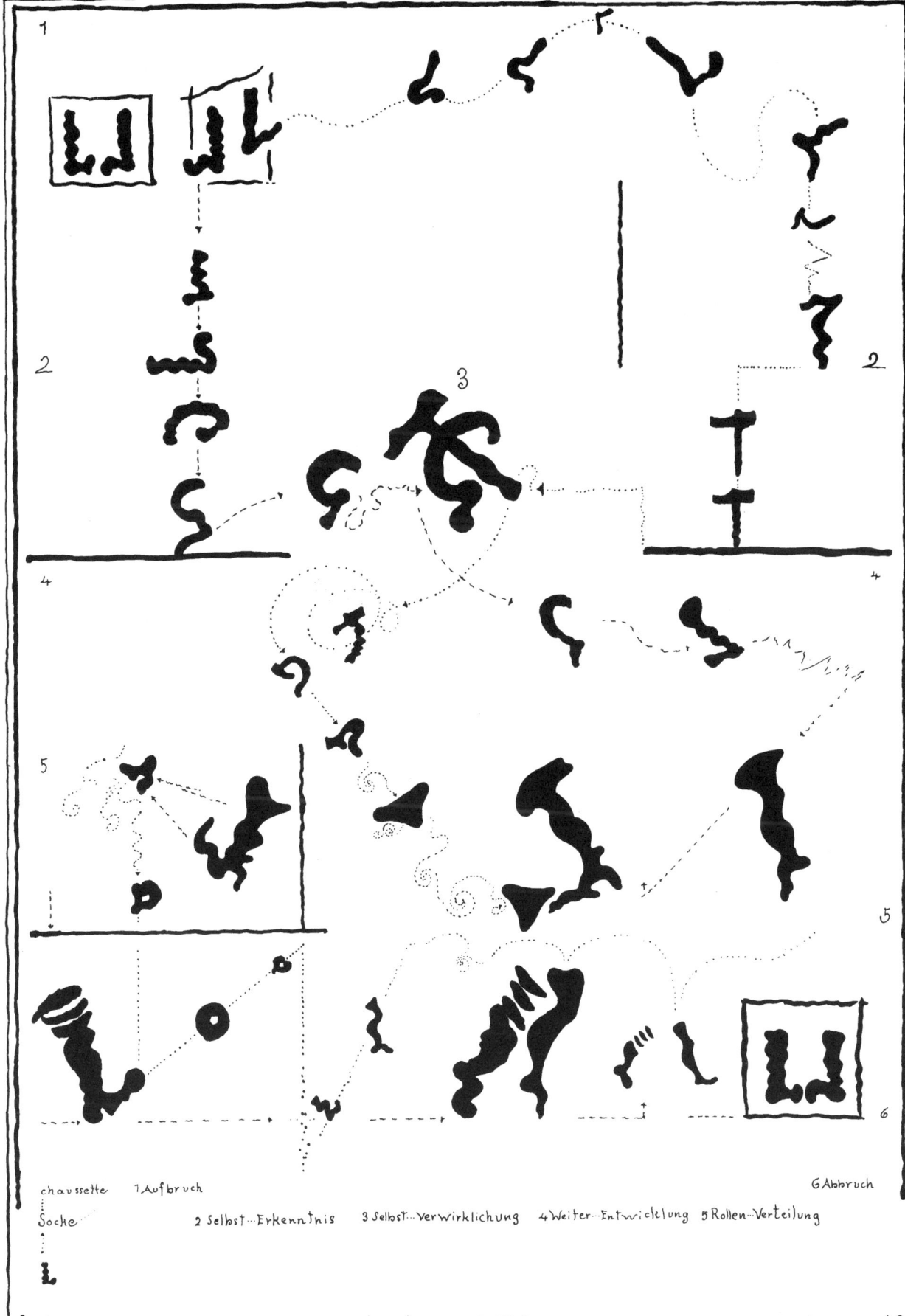

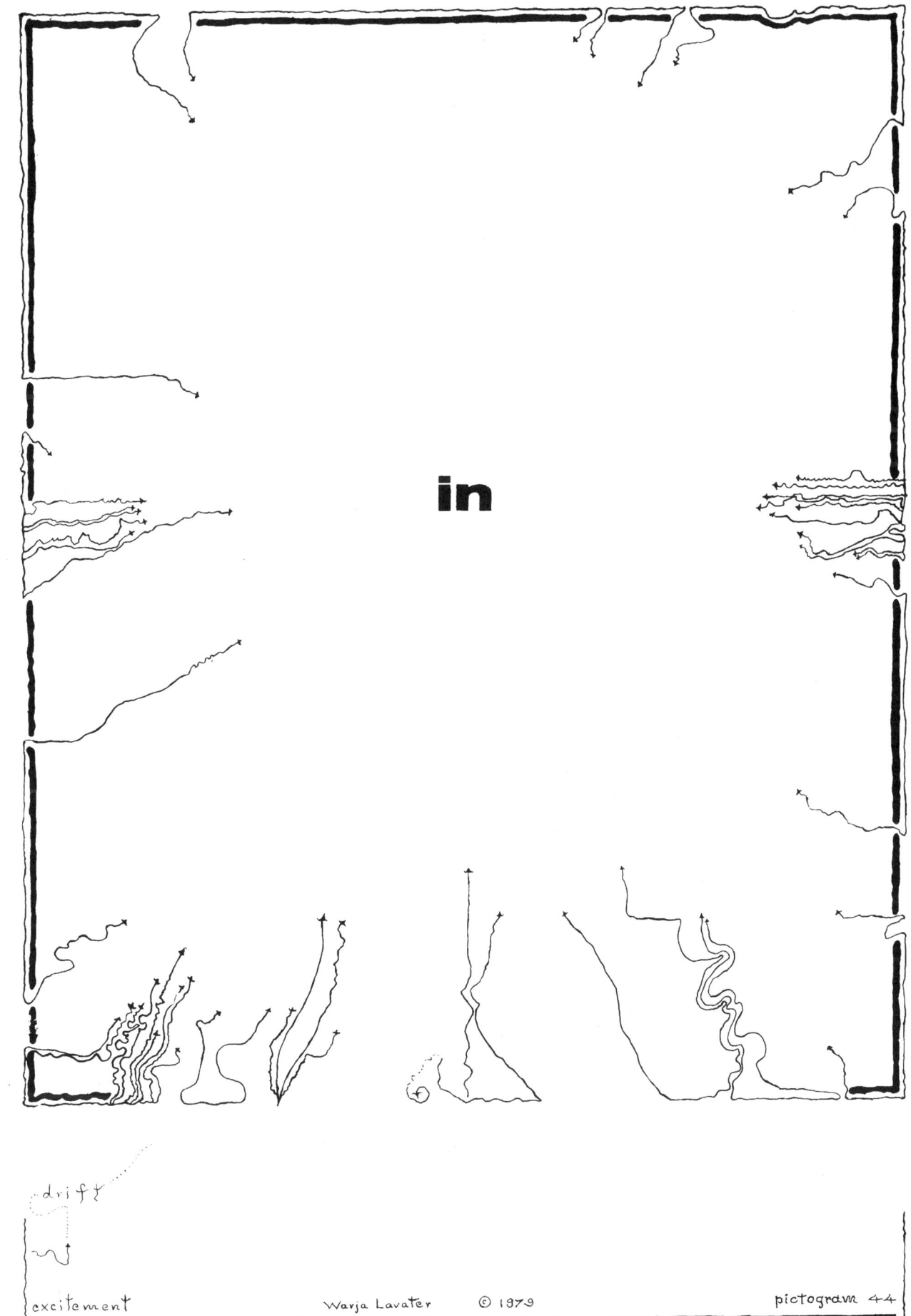

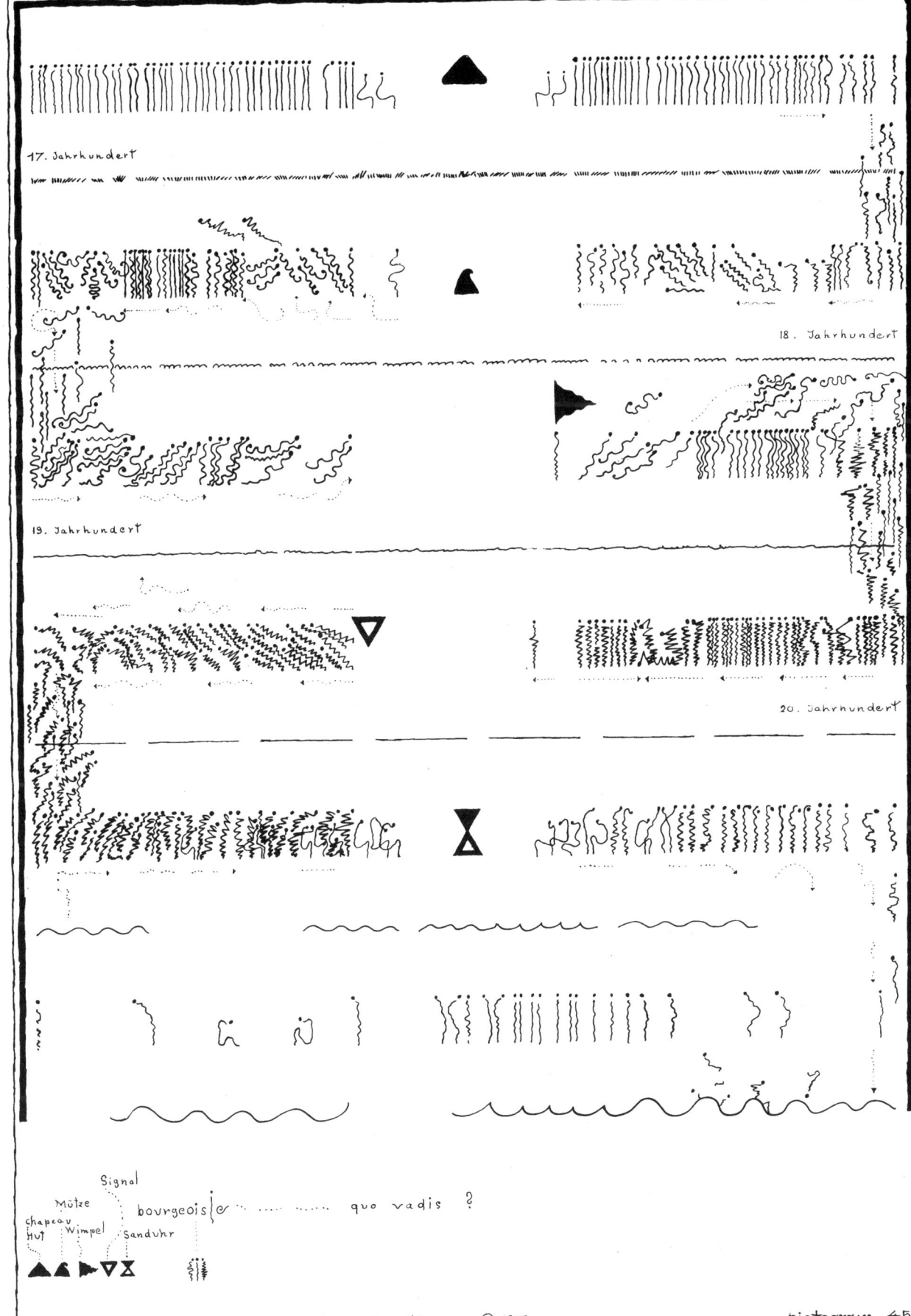

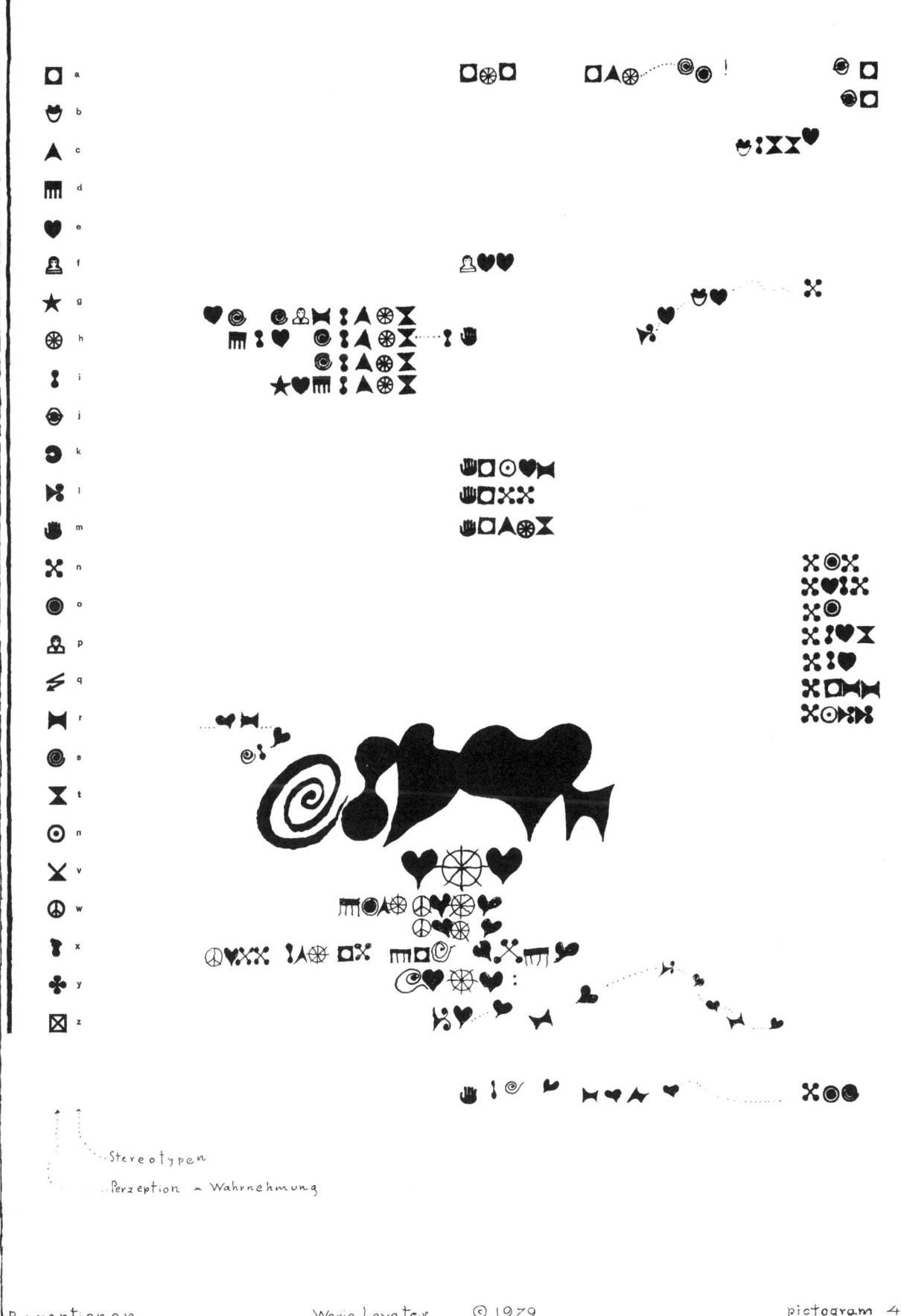

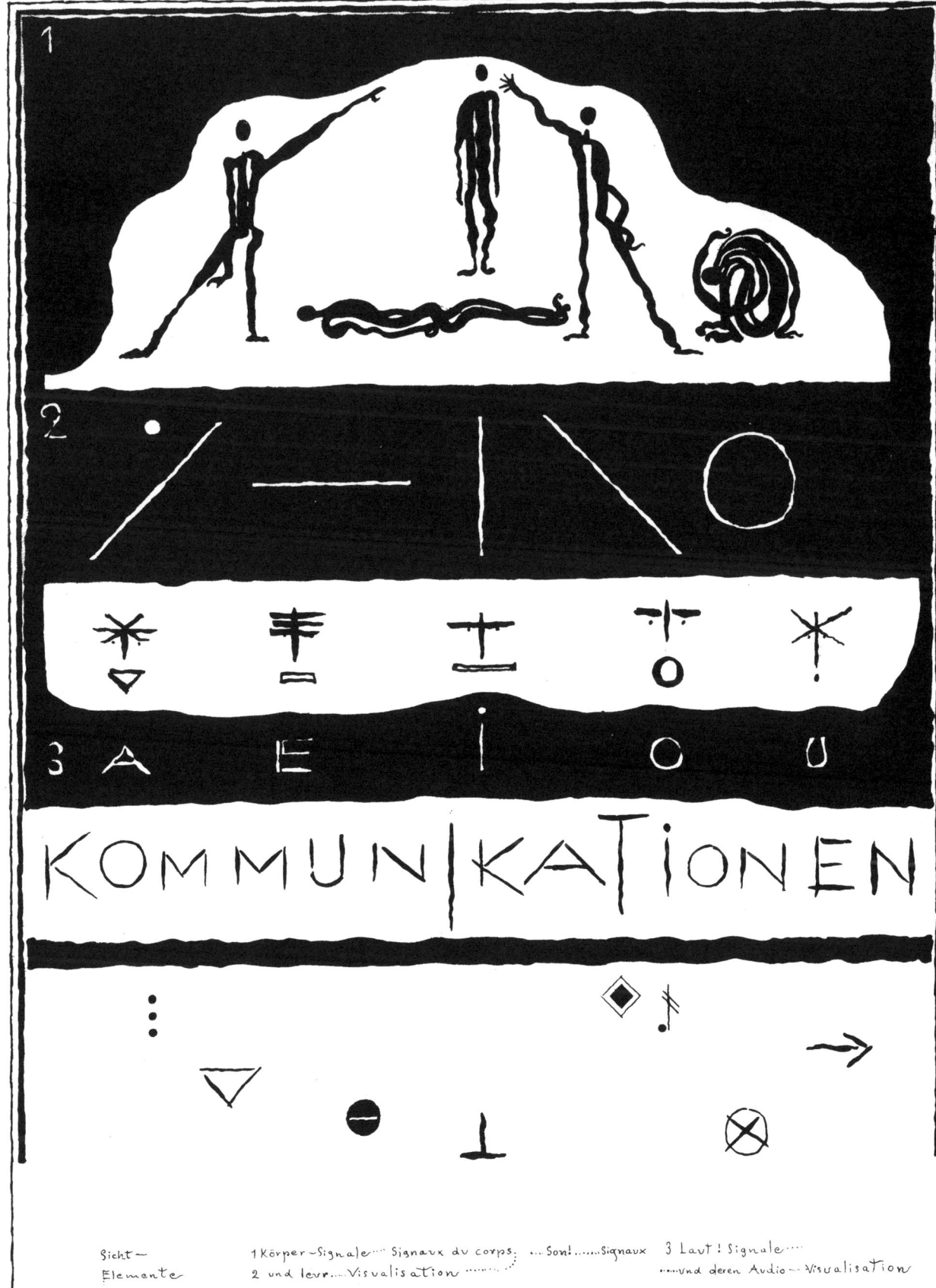

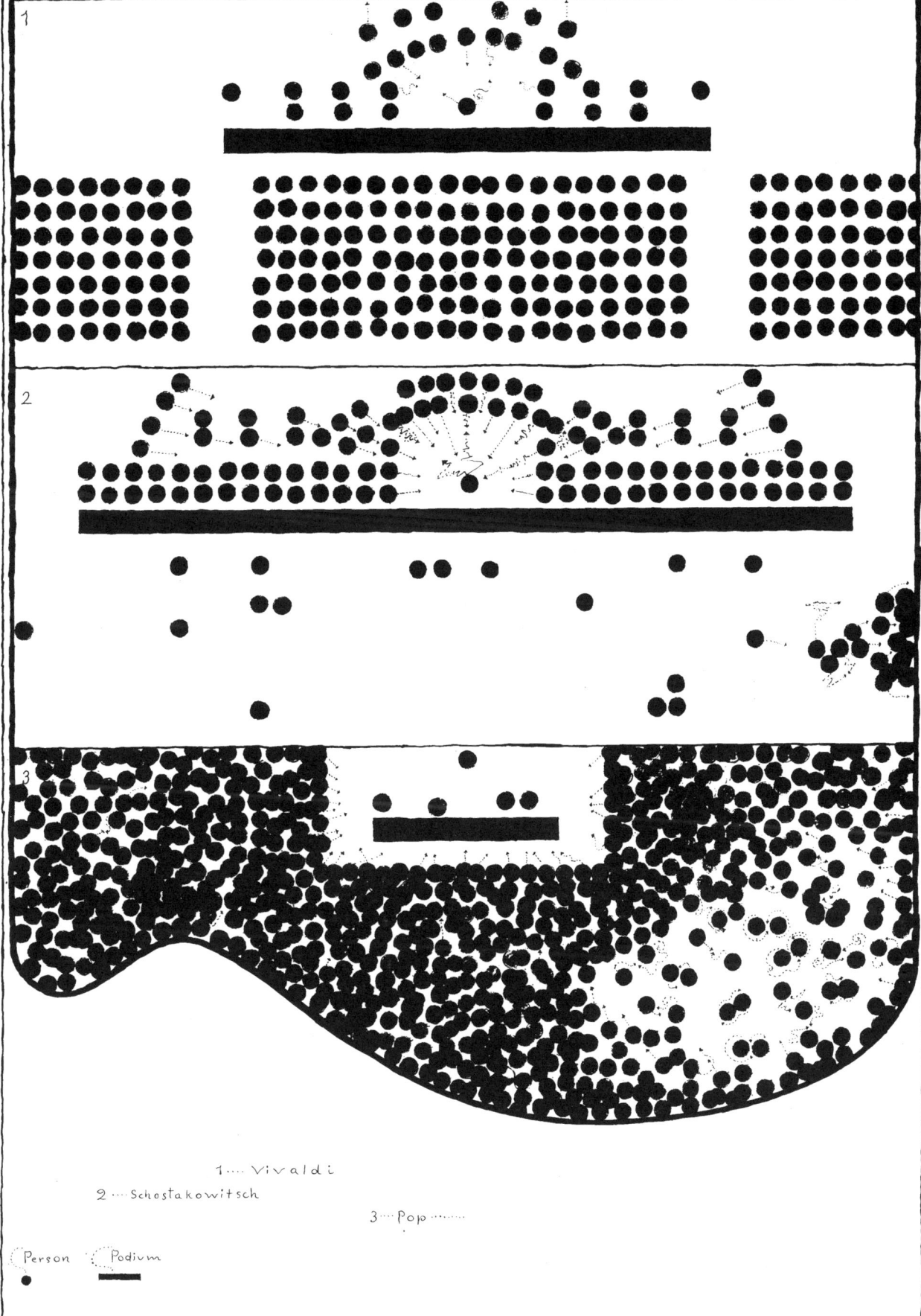

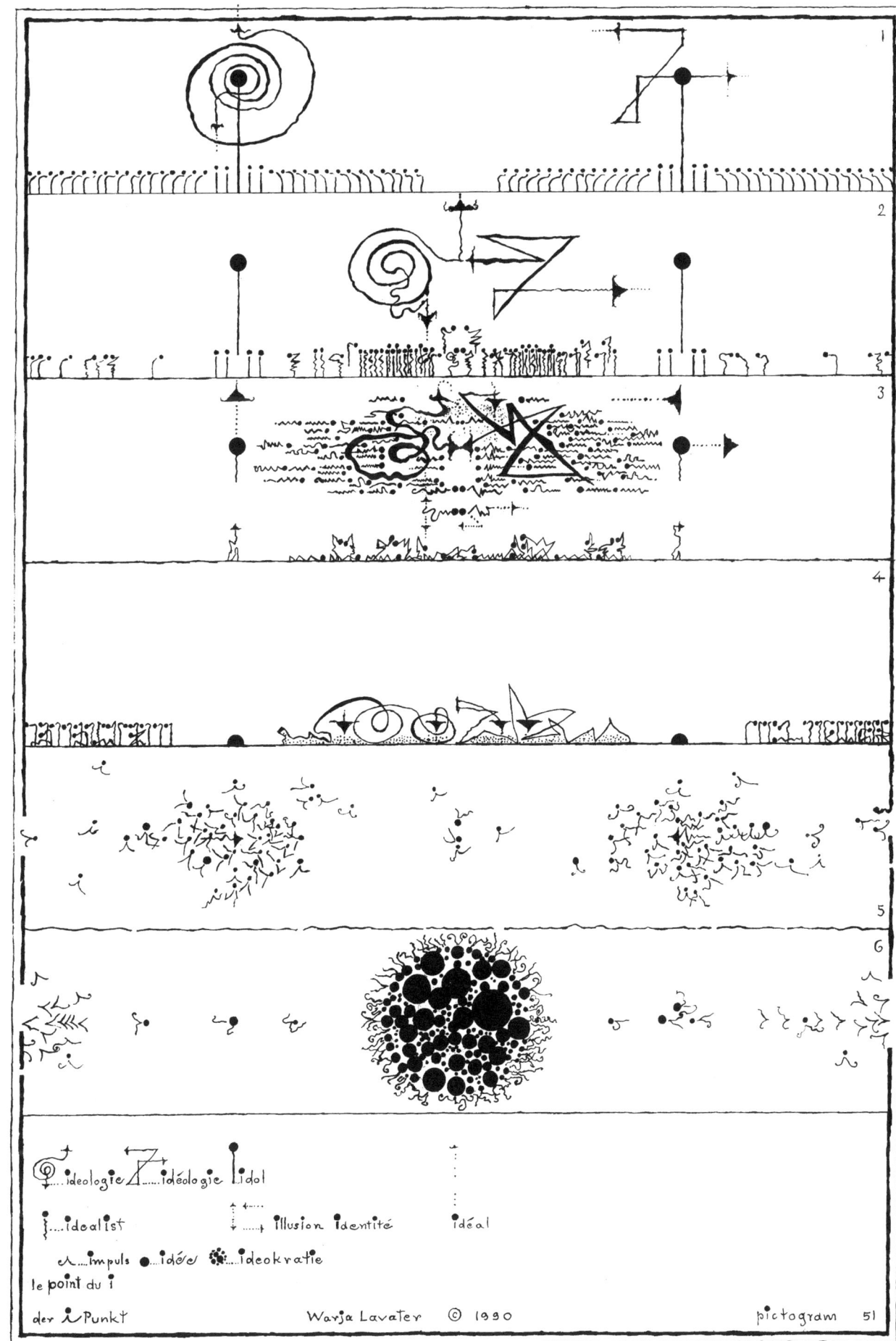

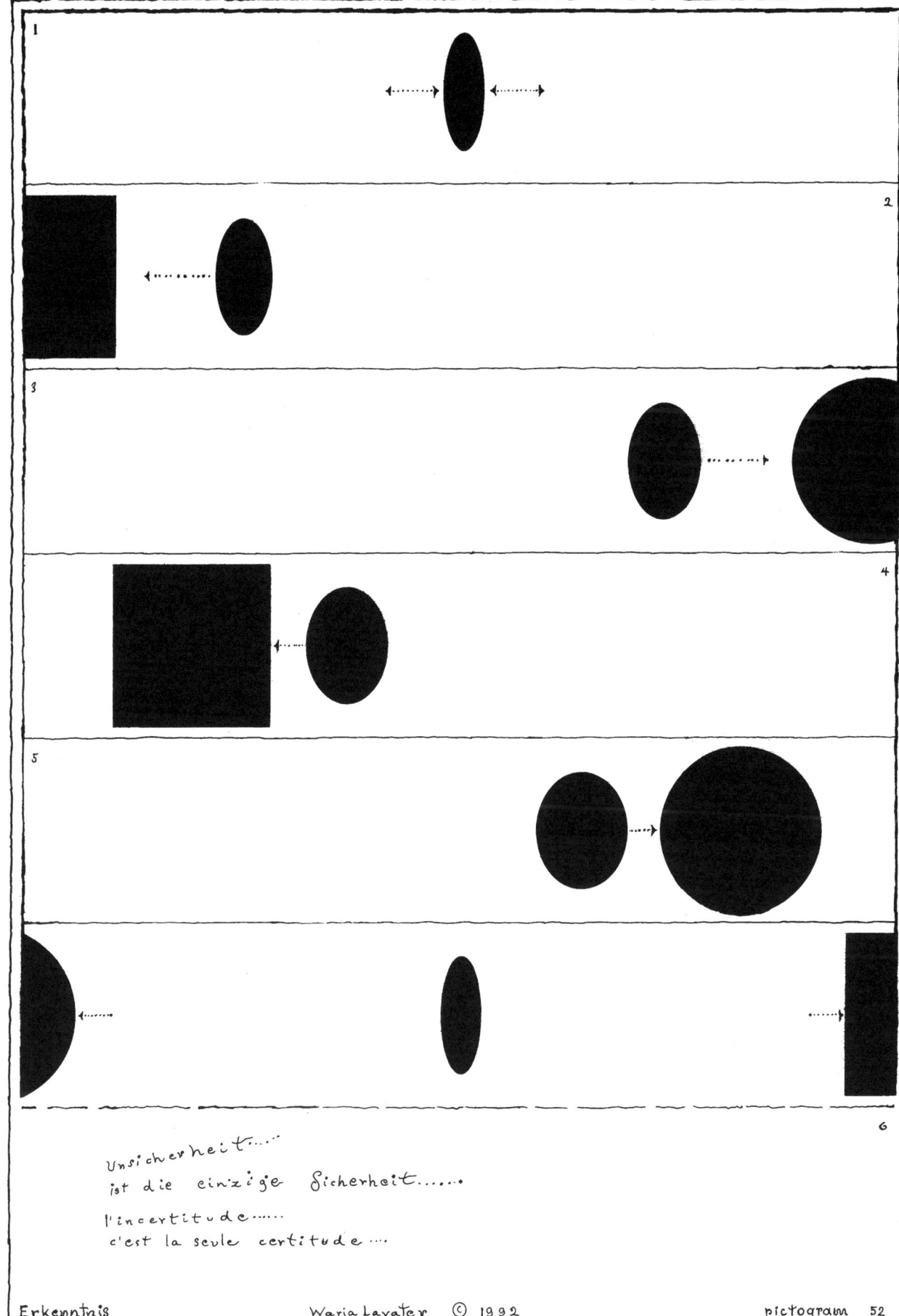

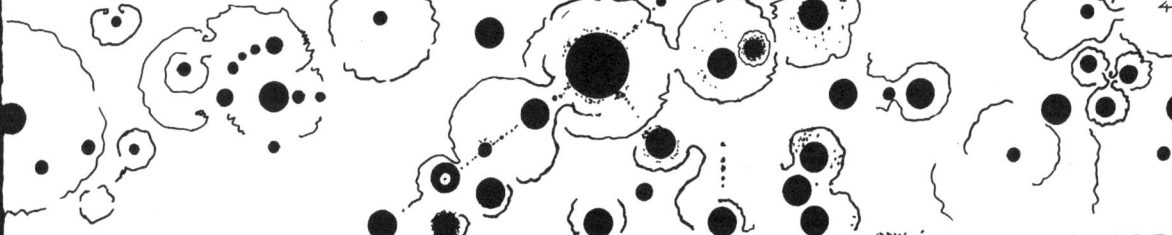
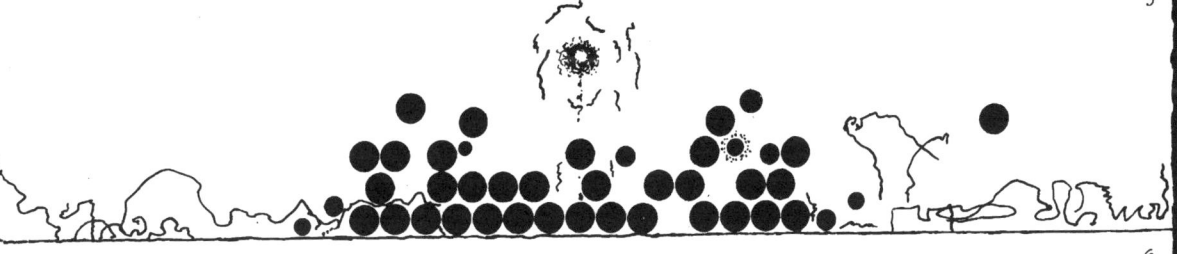

HISTORIE — Warja Lavater © 1992 — pictogram 53

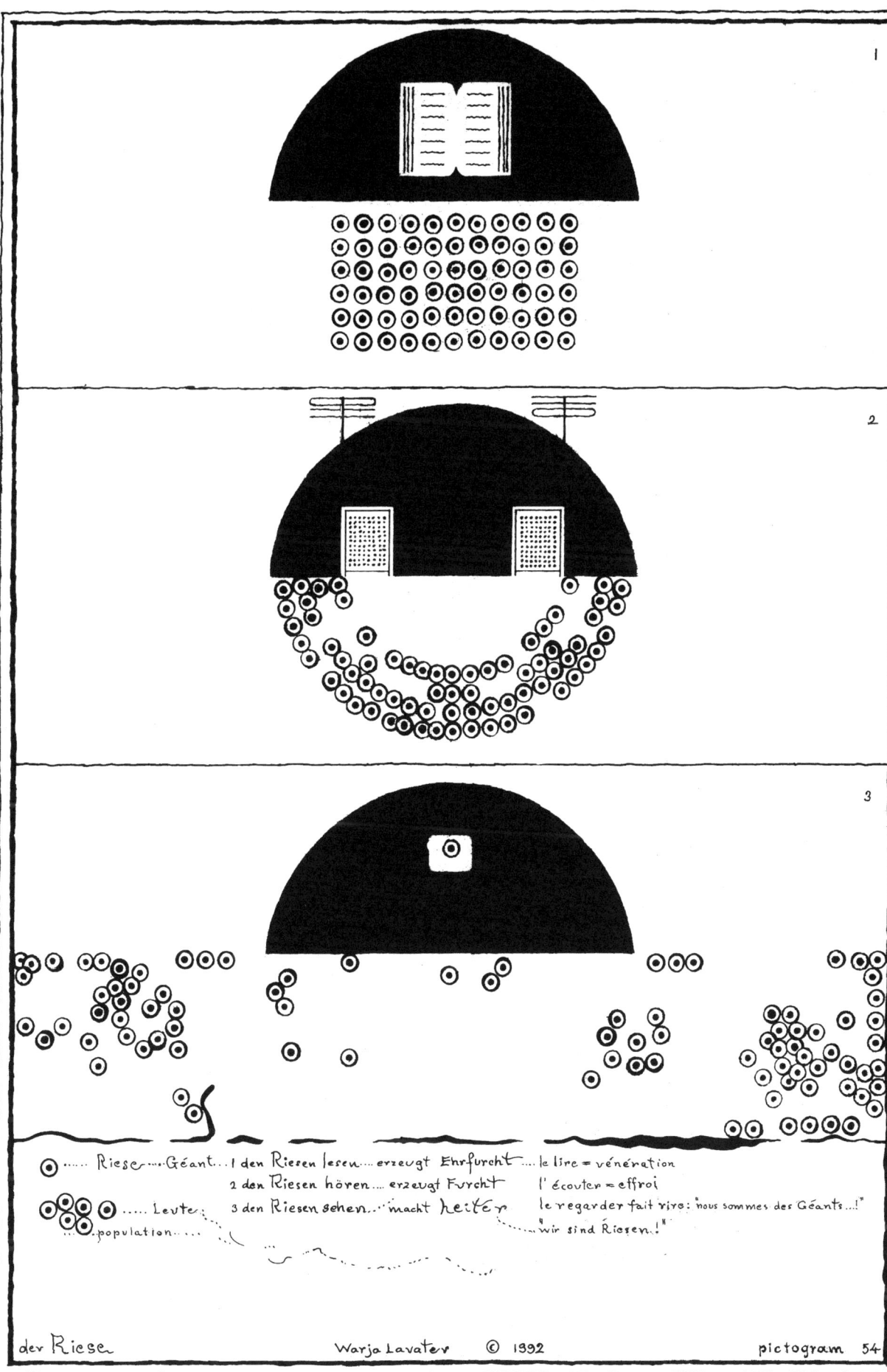

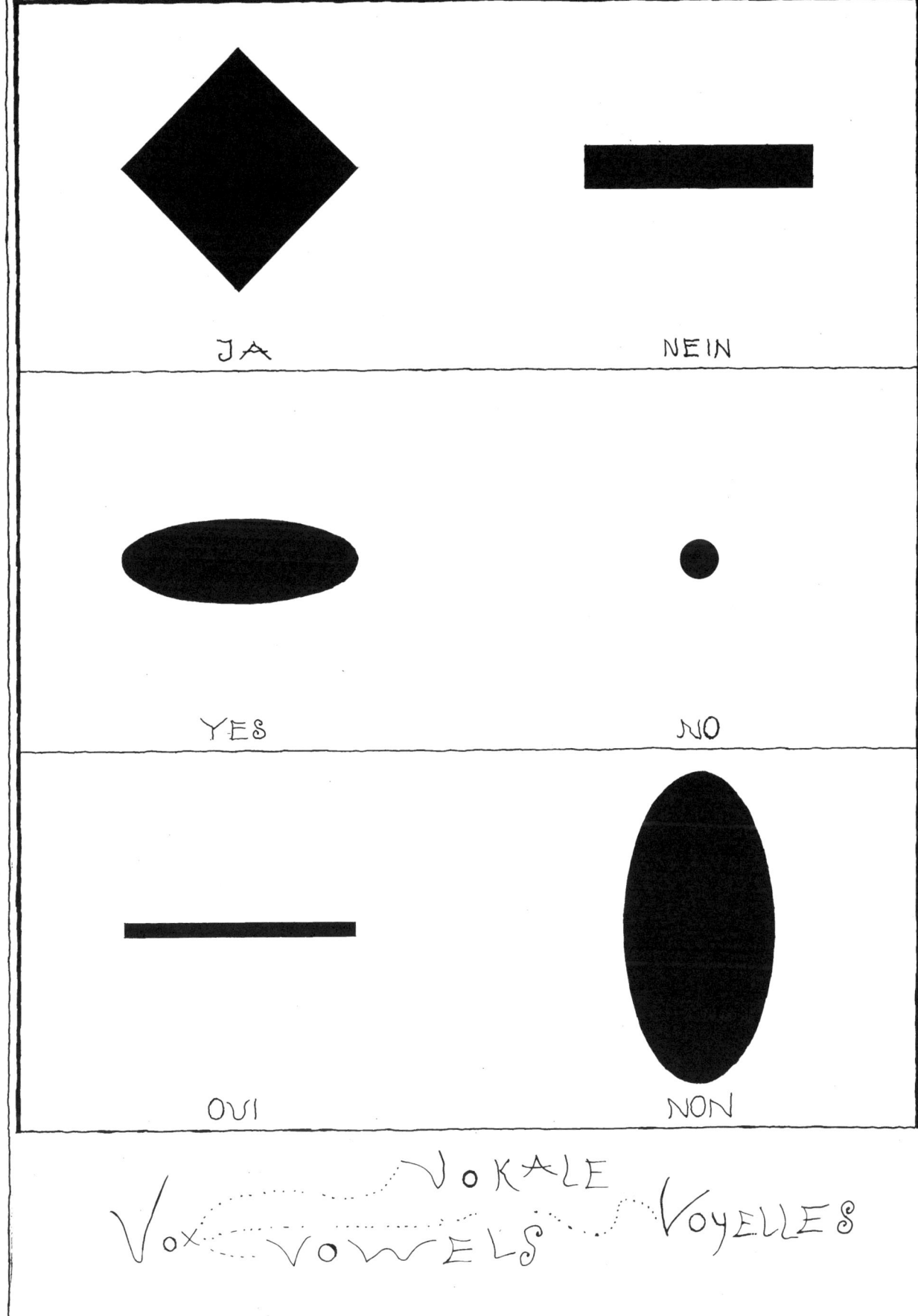

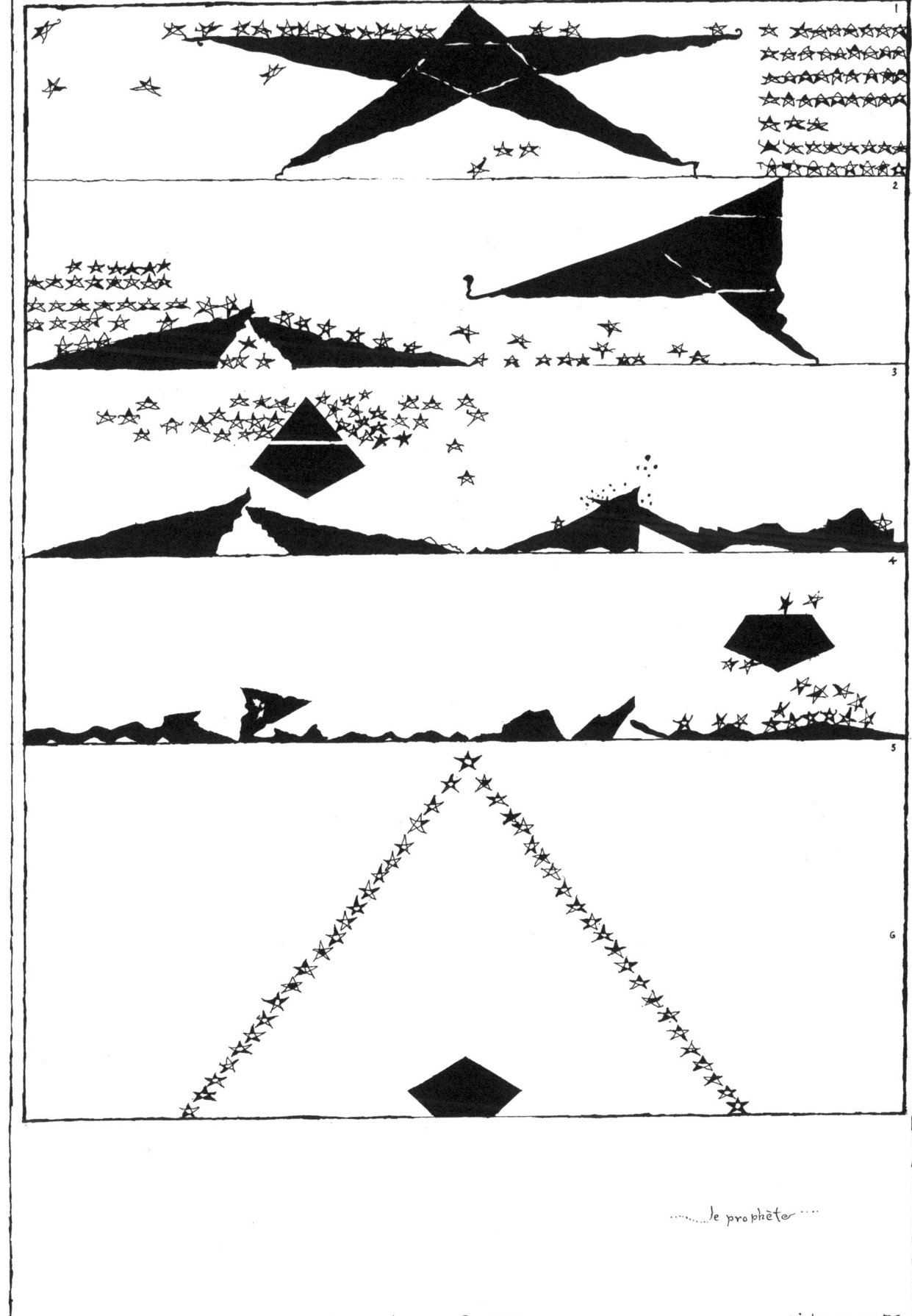

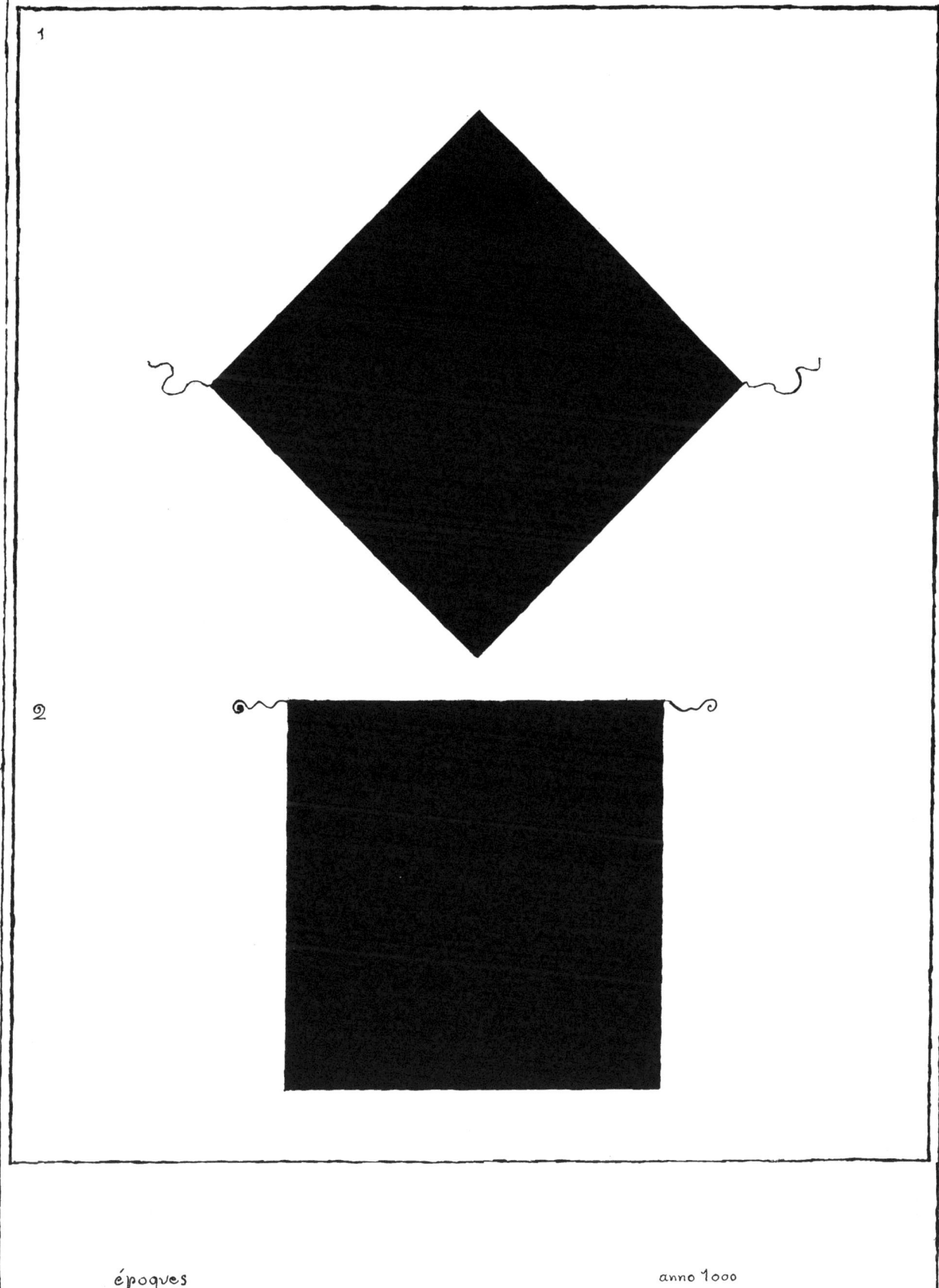

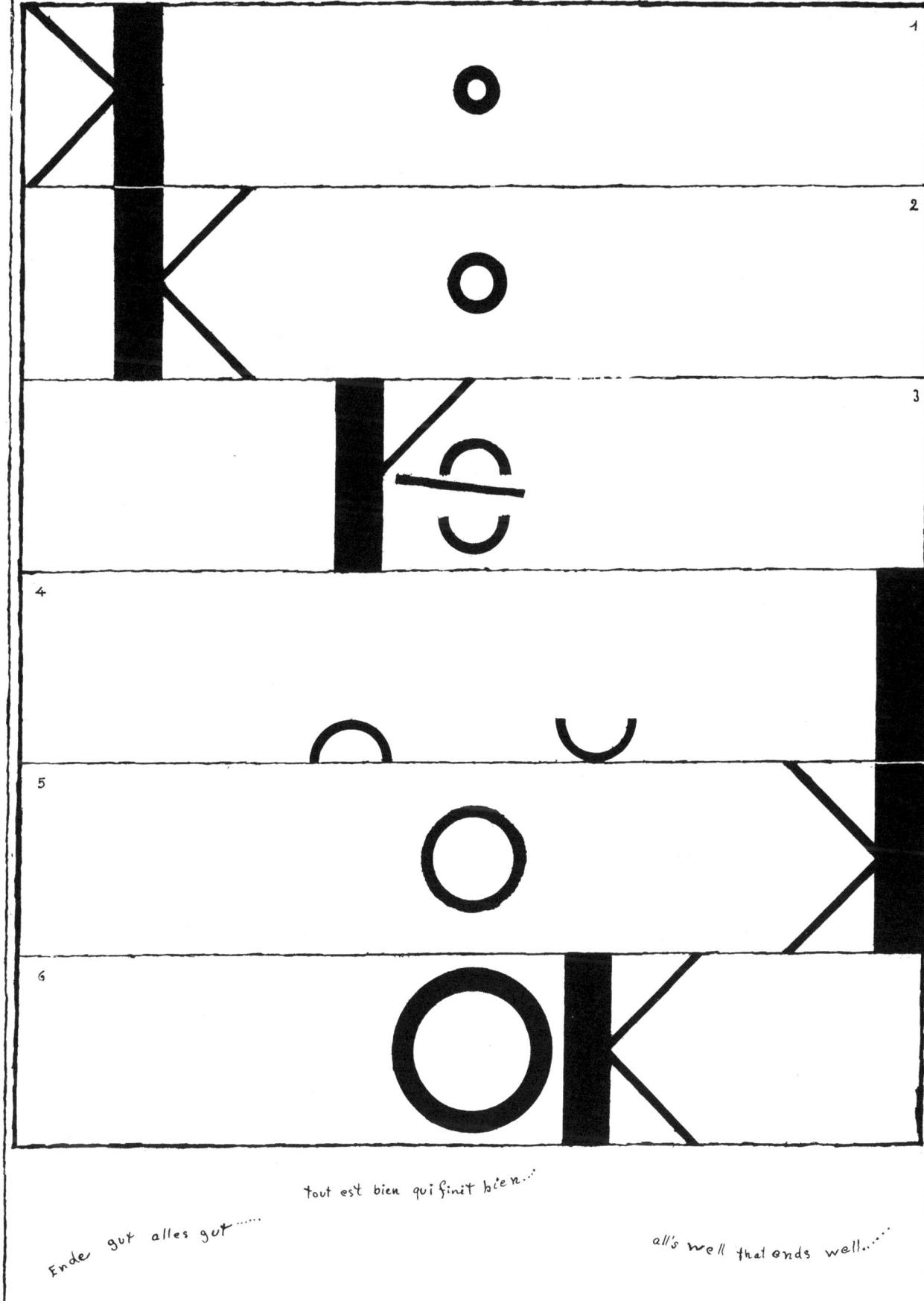

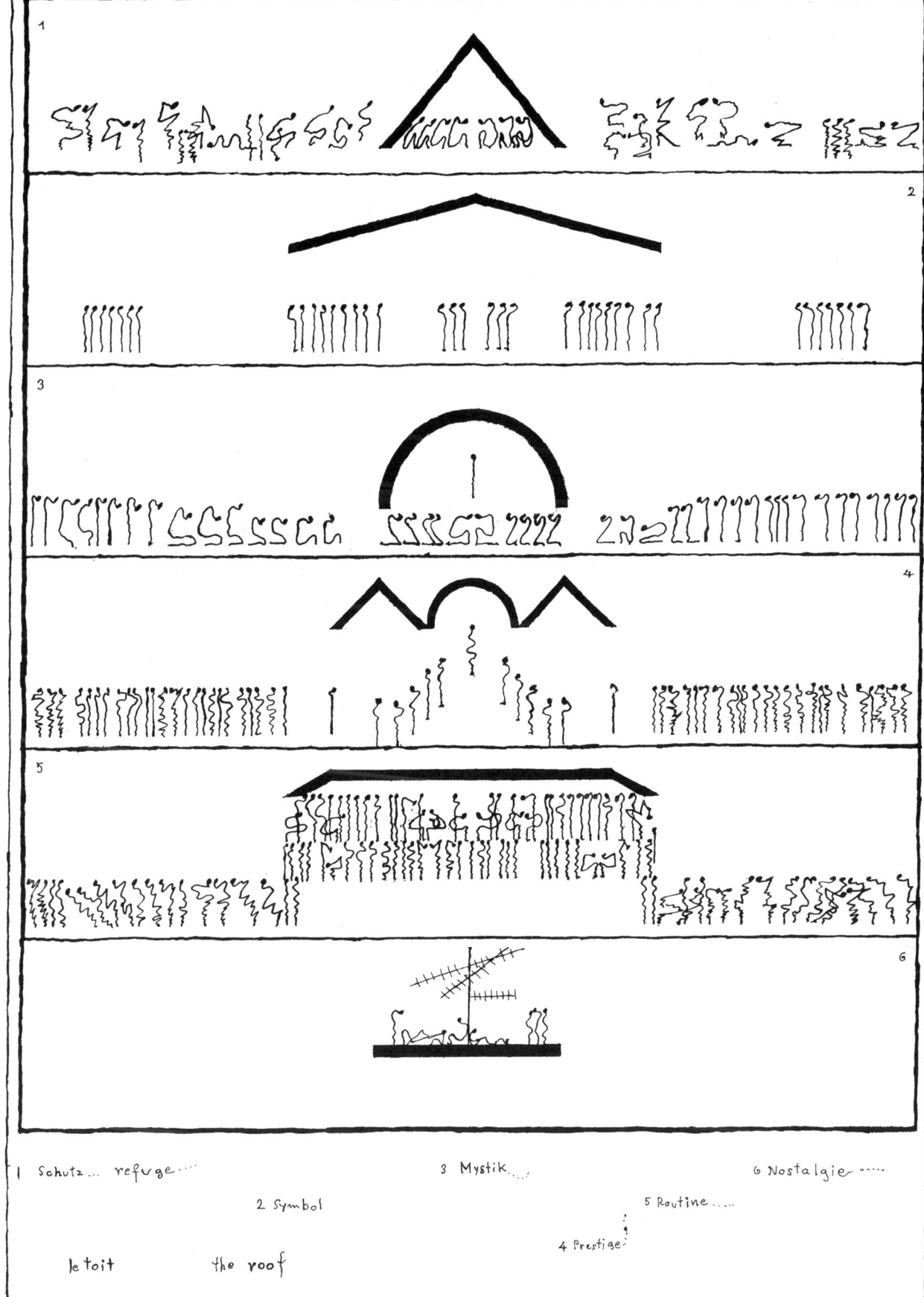

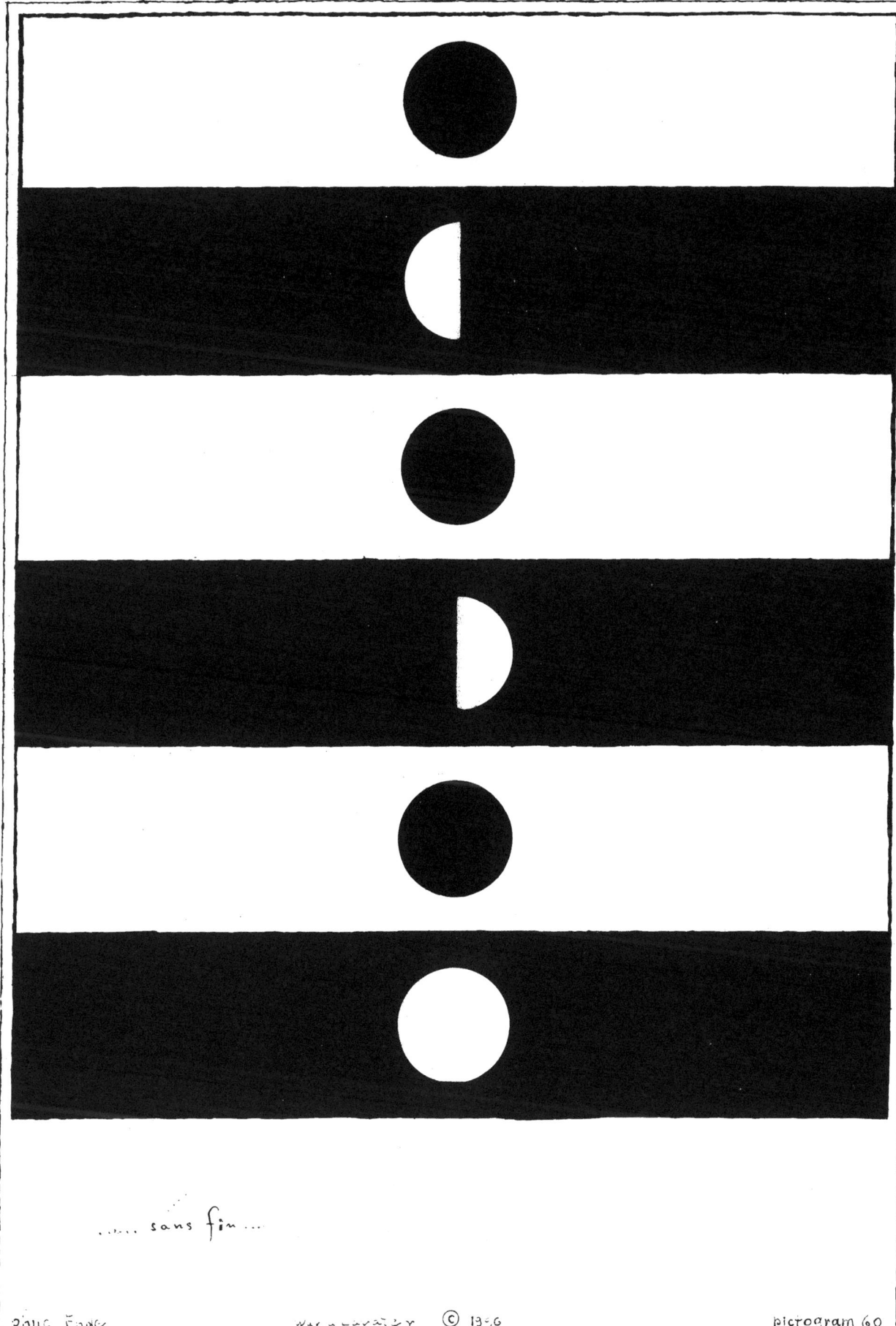

es war einmal........
da wohnte ich am Waldrand, in Gockhausen, "am Berg"
von Dübendorf.

Dübendorf, mit Zürich zusammengewachsen, beschloss nun eines
Tages bei den Künstlern im Ort, ein Oelbild zu bestellen
das auf irgendeine Weise das Besondere einer solchen Stadt
zum Ausdruck bringt.
Auch an mich erging die freundliche Einladung.
Ich nahm sie dankend an. Das war im Frühling 1976.

Nun aber stellte ich fest, dass ich weder wusste wie man ein
Oelbild malt, noch.... was man auf ein Oelbild malt.........
Etwas fassungslos begann ich zu zeichnen...... schrieb Zeichen
welche in der Folge zu den ersten sechs für Dübendorf,
später zu weiteren "Bilderbogen" führten.

Seither, in all diesen Jahren, in Paris, in Zürich, in New York,
wann immer ich mir ein Bild machen wollte,
bekamen
eine Wiedererwägung
eine Wahrnehmung
eine Medienmeldung
ein Gespräch
ein Erlebnis
auf diese Weise ihre Formulierung.

Mit lichtundurchlässiger Tinte setzte ich jeweils die Zeichen auf eine
durchsichtige Folie und liess mir bei Rudolf Keller, Zürich auf
140g-Papier je 10 Abzüge machen. Diese Mindestauflage
und das "A2", das grösste für Plandruck mögliche Normalformat,
waren damit in der niederen Preiskategorie.
Da es mir ja immer um ein "Pictogramm" ging, eignete sich dieses
Schwarz-Weiss-Verfahren bestens.

Die "Bilderbogen" bezifferte ich nacheinander von 1-60
unbekümmert, ob die Reihenfolge oder das Blatt "bühnenreif"
waren oder nicht.
Es ging mir auch nicht um das Niederschreiben, sondern um
ein Aufzeichnen......
auf jeden Fall aber um das Im-Aug-Behalten............

Warja Lavater                                    Zürich, Dezember 1996

Il était une fois . . .

Je vivais sur "la montagne" de Dübendorf, à Gockhausen, au bord de la forêt.

Dübendorf soudée avec Zürich, décida de commander aux artistes locaux une peinture à l'huile, qui devrait représenter d'une manière ou d'une autre, ce qu'il y avait de particulier dans une ville comme celle-ci. Je reçus aussi cette aimable invitation, et l'acceptai avec reconnaissance. C'était au printemps de l'année 1976.

Cependant, je réalisai vite que je ne savais ni traiter une toile à l'huile, ni ce qui peut s'y peindre . . . Quelque peu décontenancée, je commençai à dessiner, pour le moins à tracer des signes, qui menèrent aux six premiers exemplaires donnés à Dübendorf . . . et plus tard à d'autres pictogrammes.

Depuis lors, durant des années, à Paris, à Zürich, à New York, quoi que j'aie voulu rendre de précis, de clair,
une opinion,
une perception,
une chronique,
une conversation,
une expérience,
trouva de la même manière sa formulation.

A l'encre opaque sur du papier somme toute transparent. Et du format A2 ordinaire pour exploiter le maximum de surface possible sans supplément financier, le papier à 140 grammes de Rudolf Keller de Zürich permettant chaque fois dix copies pour une au plus bas prix. Comme il avait toujours été question pour moi de pictogrammes, cette technique noire et blanche s'avéra le plus adéquate.

Au fur et à mesure, je me mis à numéroter les "pictogrammes" de 1 à 60, sans regarder si l'ordre ou si la feuille même étaient "prêts à tirer" ou non. Il ne m'intéressait pas de coucher quoi que ce soit sur le papier, mais plutôt de l'en extraire . . .
En tout cas toutefois, clairement . . .

Warja Lavater   Zürich, décembre 1996

once upon a time . . .

I was living on the edge of the wood, in Gockhausen, on the "mountain" of Dübendorf.

Dübendorf, merged into the city of Zurich, one day decided to order, from the local artists, an oil painting which should in some way or other express what was special about a town like this. I, too, received this kind invitation. I accepted it gratefully. That was in spring 1976.

But now I realized that I neither knew how to paint an oil painting nor . . . what to paint . . . Somewhat disconcerted I began to draw . . . to write signs which subsequently led to the first six for Dübendorf, later to further "pictograms".

Since then, in all these years, in Paris, in Zurich, in New York, whenever I wanted to get a clear picture of something,
a reconsideration
a perception
a news item
a conversation
an experience
in this way received their formations.

In non-transparent ink I used to put the lines on a transparency and had ten prints made on 140 gramm paper by Rudolf Keller in Zurich. This minimal number of copies and the A2-format, the largest possible ordinary format for plane print, kept costs low. Since for me it has always been a matter of pictograms, this black-and-white technique was highly adequate.

I numbered the "pictograms" consecutively from 1 to 60, regardless of whether the sequence or the sheet itself were "ready for the stage" or not. Nor was I concerned with writing things down, but rather with drawing things up . . .
in any case with keeping in-view . . .

Warja Lavater   Zurich, December 1996